La Collection des Plus Belles Histoires
Histoire et Civilisations

Marie-Antoinette
Portrait d'une reine

Philippe de Montjouvent

Timée-Editions

« Des livres ouverts sur Internet »
www.timee-editions.com

ISBN : 2-915586-66-7
Dépôt légal : août 2006
© Timée-Editions août 2006

Imprimé en Italie

« À la veille de la Révolution, aurait-on trouvé un millier de Français ayant pour Marie-Antoinette les sentiments que nous lui portons aujourd'hui ? »

André Castelot

Introduction

Il n'y a pas « une », mais plusieurs Marie-Antoinette. Quoi de commun, en effet, entre la petite fille élevée sans contraintes à Vienne et à Schönbrunn, la Dauphine volontiers frondeuse et moqueuse des années d'adolescence, la « reine insouciante » et adulée des premières années du règne, la souveraine recluse à Trianon pour oublier que Paris ne l'aime plus, la « tête à vent » devenue grave et politique, la mère et l'épouse exemplaire des temps de malheur, la prisonnière du Temple, la suppliciée du 16 octobre 1793 ? Tous ces personnages si éloignés les uns des autres ne font pourtant qu'un. En vingt-trois ans, la jeune archiduchesse, arrivée à la Cour de France à l'âge de quatorze ans et demi pour épouser le Dauphin, évolue. Lorsque sa vie s'achève, la « veuve Capet » s'apprête à célébrer sont trente-huitième anniversaire. Seulement !

Aux personnages « réels », s'ajoutent de surcroît les personnages « mythologiques » de la reine. Depuis deux siècles et demi, Marie-Antoinette fascine. Adulée ou exécrée, peu importe ! Les multiples facettes du personnage permettent à chacun d'y voir... ce qu'il a envie d'y voir. La Terreur fait de la reine une « louve d'Autriche » ivre de dépenses et de luxure ; la Restauration l'élève au rang de demi-sainte. « Fan » absolue, l'impératrice Eugénie remeuble Trianon des souvenirs de la souveraine et se fait peindre par Winterhalter « à la Marie-Antoinette ». Tandis que les Goncourt publient une hagiographie de la reine, Jules Michelet ressuscite « Madame Déficit » dans son *Histoire de France*, « bréviaire » de générations de hussards noirs de la République.

Au début des années 1930, l'image continue à se brouiller. Conservateur du Musée de Versailles, Pierre de Nolhac écrit une remarquable série d'ouvrages dans lesquels il dresse un portrait plus en situation de la Dauphine puis de la reine. Malheureusement, à la même époque, Stefan Zweig publie une vie romancée de Marie-Antoinette. Jusqu'à nos jours, elle est restée l'une des biographies les plus appréciées, mais aussi les plus fausses de la souveraine. S'appuyant sur la psychanalyse, cet intellectuel de grand renon, disciple et ami de Freud, mais aussi, on l'oublie trop souvent, compatriote de Marie-Antoinette, crée de toutes pièces la légende d'un Louis XVI benêt et impuissant, cocu pathétique incapable de consommer son mariage, dont l'épouse n'eut d'autre choix que de se lancer dans une frénésie de plaisirs et dans le lit de Fersen pour oublier ses frustrations et son humiliation ! Tout cela prête aujourd'hui à rire. Mais le mal est fait. Rentrée par la grâce de Zweig au panthéon des princesses « tragiques et malheureuses », Marie-Antoinette n'a pas fini de jouer les « chromos » pour lectrices de romans-photos à l'eau de rose et méga-productions hollywoodiennes. Quant à Louis XVI, en dépit de tout ce qu'ont pu dire, que peuvent dire et que pourront dire les historiens les plus sérieux et les plus compétents, il semble à tout jamais voué au rôle d'imbécile heureux.

Seul André Castelot semble être véritablement parvenu à rectifier auprès du grand public cette image faussée. Publié pour la première fois en 1962, son *Marie-Antoinette* n'a cessé, depuis, d'être réédité ; au point d'atteindre aujourd'hui près d'un million d'exemplaires vendus en librairie (auxquels s'ajoutent les quatre cent cinquante mille de sa traduction américaine). Certes, les travaux d'universitaires telles Evelyne Lever ou Simone Bertière sont venus, depuis, préciser les contours du personnage de façon plus « scientifique » ; des conservateurs du patrimoine et des historiens de l'art se sont également employés à mieux faire connaître le quotidien et « les lieux de la reine ». Mais l'attachant portrait dressé par André Castelot n'en demeure pas moins, dans son ensemble, d'une grande précision et extrêmement fidèle à son sujet. Profondément empathique, aussi. Et c'est sans doute là la raison de son indéfectible succès. Grâce à lui, une autre Marie-Antoinette, plus en nuances, moins manichéenne, est née. Encore une à ajouter à notre catalogue !

À notre tour, nous nous sommes essayés à l'exercice difficile de peindre Marie-Antoinette. Au travers de cinquante moments forts de sa vie, nous avons esquissé le présent portrait. Dans la mesure du possible, nous nous sommes effacés afin de laisser s'exprimer les témoins. Qui mieux qu'eux, en effet, pouvait nous parler de ce personnage complexe et attachant ? Sans prétendre à l'exhaustivité, nous vous invitons à découvrir une

Marie-Antoinette plus intime. Plus secrète. Dans son cadre, aussi : car c'est avec enthousiasme que nous avons accepté la proposition des Éditions Timée et le principe de la collection « les cinquante plus belles histoires ».

De Schönbrunn à Versailles, en passant par Vienne, Strasbourg, Compiègne, Fontainebleau ou Trianon, sans oublier les Tuileries, la route de Sainte-Menehould, la Tour du Temple et la Conciergerie, nous vous invitons à mettre vos pas dans ceux de Marie-Antoinette. Avec elle, pénétrez dans les petits appartements, poussez la porte du cabinet de la Méridienne et celle du cabinet Doré, promenez-vous dans les jardins de Trianon et sous les charmilles du Hameau de la reine, entrez dans le petit théâtre de Richard Mique et la laiterie de Rambouillet. Si vous tendez l'oreille, vous entendrez Mme de Noailles maugréer, Mme de Lamballe se plaindre de ses sempiternelles migraines et Mme de Polignac s'esclaffer. Au détour d'un corridor secret ou d'un escalier en colimaçon, vous croiserez peut-être l'indispensable Mme Campan et le fidèle abbé de Vermond. Et là ? Ne sont-ce pas le roi et Mesdames ? Et le bel Axel de Fersen ?

Bienvenue chez la reine !■

Sommaire

1 Une enfance viennoise
(1755-1770)

Une mère dirigeant sa famille et son pays

d'une main de fer, une naissance

survenant au moment d'un terrible

tremblement de terre, une éducation

princière mais imparfaite...

Tout semble déjà réuni pour que

Marie-Antoinette, future épouse de Louis XVI,

devienne une grande reine de France

et un nom qui marquera l'Histoire.

L'impératrice
Marie-Thérèse
(1717-1780).

« Une petite fille
légère comme la plume »

« Roi » apostolique de Hongrie, reine de Bohême, souveraine des États héréditaires de l'Autriche, Marie-Thérèse est également « impératrice » depuis qu'elle a fait élire son époux, François de Lorraine, empereur romain germanique. Dans le couple, fort uni, c'est elle qui porte la culotte. Dans l'Empire aussi.

Après dix-neuf années de mariage, François Ier est amoureux comme au premier jour de celle qui lui a déjà donné quatorze enfants. Quoique fin politique, il lui délègue volontiers le pouvoir. « Persévérante dans la foi, fidèle en amour, enceinte perpétuellement » (Gluck), « l'Augustissima » conduit le char de l'État d'une main de fer.

« Peu avant la naissance d'un de ses enfants, on peut apercevoir la reine à l'Opéra. Et avant qu'on ait le temps d'apprendre qu'elle a accouché, on la voit assise à son bureau de travail... »

À François reviennent en revanche les devoirs de représentation.

En cette fin d'après-midi du dimanche 2 novembre 1755, au palais de la Hofburg de Vienne, Marie-Thérèse, enceinte, s'affaire dans son cabinet de travail. Dans l'église des Augustins, l'Empereur assiste à la messe des Morts avec toute la Cour.

Compulsant ses dossiers, s'entretenant avec ses conseillers, houspillant les uns, donnant des ordres aux autres, Marie-Thérèse ne consent à gagner sa chambre que lorsque les contractions deviennent trop fortes. Comme elle n'a pas de temps à perdre, elle convoque son dentiste afin de se faire arracher une dent gâtée : autant mettre les douleurs de l'enfan-tement à profit ! Comme le veut la tradition, elle accouche en public, en présence des plus hauts dignitaires de la Cour, convoqués comme témoins. Vers sept heures et demie, le grand-maître des cérémonies, le prince Khevenhüller-Metsch, est en mesure d'annoncer la naissance d'une « petite fille légère comme la plume mais bien portante ».

Partout dans Vienne, les cloches se mettent à sonner. Les *Requiem* cèdent la place à de joyeux *Te Deum*. De retour dans ses appartements, l'Empereur reçoit les félicitations des courtisans. Presque aussi fraîche qu'une rose, Marie-Thérèse regagne son cabinet afin de signer quelques dépêches. Voilà une journée bien employée !

François Ier et Marie-Thérèse.

La terre, l'eau puis le feu…
Un baptême sous le signe
des éléments

Quinzième enfant de François et de Marie-Thérèse, « Madame Antoine » rejoint dès sa naissance l'aile du palais de la Hofburg réservée aux enfants du couple impérial. Elle est confiée à une nourrice : Frau Weber.

D'une Cour à l'autre, les rites ne sont pas forcément les mêmes. À Versailles, il est de tradition d'ondoyer les enfants royaux au moment de leur naissance, puis de leur administrer les cérémonies supplétives du baptême plus tard, généralement au moment où ils atteignent l'âge de raison. Né le 23 août 1754, le futur époux de Madame Antoine est ainsi baptisé le 18 octobre 1761. À Vienne, en revanche, les jeunes archiducs et archiduchesses sont consacrés sans différer.

Le 3 novembre 1755, la petite princesse née la veille est baptisée dans la nouvelle antichambre de l'appartement impérial. L'archevêque de Vienne officie en personne. En l'honneur de ses parrain et marraine, le roi Joseph Ier du Portugal et son épouse, l'infante Marie-Anne d'Espagne, l'enfant est baptisée Maria Antonia Josepha Johanna. À ces prénoms s'ajoutent les titres prestigieux d'archiduchesse d'Autriche, de princesse royale de Hongrie et de Bohême, et le prédicat d'Altesse Impériale et Royale. Les souverains portugais ne s'étant pas déplacés, Madame Antoine est portée sur les fonds baptismaux par son frère l'archiduc héritier Joseph et sa sœur l'archiduchesse Marie-Anne.

> « Cette catastrophe qui semblait marquer d'un sceau fatal l'époque de sa naissance… »

On l'ignore à Vienne mais, au même moment, Lisbonne est la proie d'un terrible cataclysme. Le 1er novembre, un tremblement de terre d'une rare violence, suivi d'un raz de marée puis d'un gigantesque incendie, a presque entièrement détruit la ville. Devenue reine de France, Madame Antoine évoquera souvent cette coïncidence : « Marie Antoinette

Josèphe de Lorraine, archiduchesse d'Autriche, fille de François de Lorraine et de Marie-Thérèse, naquit le 2 novembre 1755, jour [sic] du tremblement de terre de Lisbonne ; et, rapporte Madame Campan, cette catastrophe qui semblait marquer d'un sceau fatal l'époque de sa naissance, sans être pour la princesse un motif de crainte superstitieuse, avait pourtant fait impression sur son esprit. »

2 novembre 1755.
Tremblement de
terre de Lisbonne.

« Le poulailler »

Si les devoirs de l'État ne permettent pas à l'Augustissima de voir ses enfants tous les jours, elle s'entoure en revanche de leurs portraits dans chacune de ses résidences. En 1762, Liotard réalise un admirable ensemble de pastels. Mais dès 1752, Marie-Thérèse a trouvé en Martin van Meytens « un peintre docile et talentueux que la répétition ne rebute pas ».

En 1752, Meytens peint pour les appartements impériaux de la Hofburg de Vienne un tableau – aujourd'hui conservé à la Hofburg d'Innsbruck – représentant Marie-Thérèse sur la terrasse du palais de Schönbrunn en compagnie de François et de leur neufs enfants alors en vie : Marie-Anne (1738-1789), Joseph (1741-1790), Marie-Christine (1742-1798), Marie-Élisabeth (1743-1808), Charles-Joseph (1745-1761), Marie-Amélie (1746-1804), Léopold (1747-1792), Jeanne-Gabrielle (1750-1762) et Marie-Josèphe (1751-1767). Symboliquement, l'archiduc héritier Joseph se trouve au centre de l'étoile placée sur le pavement.

Très fière de sa « nichée », l'Impératrice lui a donné l'affectueux surnom de « poulailler »

L'ensemble plaît tellement à l'Impératrice, que, pour mieux en profiter, elle en commande en 1754 une copie « mise à jour » pour ses appartements de Schönbrunn.

Sans modifier la composition, Meytens glisse en son centre deux nouveaux bambins : Marie-Caroline (1752-1814) et Ferdinand (1754-1806). Une troisième version suit de peu la naissance de Marie-Antonia (1755-1793). Sagement couchée dans son berceau, « Madame Antoine » sourit pour la première fois au peintre et à l'Histoire. Au moment de son mariage, elle emportera le tableau avec elle. Vendu pendant la Révolution, il a regagné Versailles en 1834.

Peu après la naissance de Maximilien (1756-1801), une nouvelle toile est exécutée. Les plus jeunes des enfants impériaux s'y livrent à un véritable jeu de chaises musicales : le nouveau-né a pris la place de Madame Antoine dans le berceau et celle-ci s'est installée sur le petit fauteuil ajouté en 1754 pour y asseoir Ferdinand. Aujourd'hui conservée au palais Pitti, cette ultime version sera attribuée à Léopold lorsque, devenu grand-duc de Toscane, il partira pour Florence.

1756. La famille impériale par Martin van Meytens (1695-1770).
Dans le berceau : Madame Antoine.

L'éducation d'une archiduchesse

Ayant l'œil sur tout, l'Augustissima veille de près à l'éducation de ses enfants. Aucun détail ne lui échappe. Multipliant lettres et billets de consigne, elle est tenue au courant du moindre de leurs faits et gestes.

Marie-Thérèse exige d'être avertie jour et nuit « du premier indice de la plus légère indisposition »

1762.
Marie-Antoinette par
Jean-Étienne Liotard
(1702-1789).

Les horaires doivent être respectés à la minute près. Alors qu'elle désespère ses médecins par son appétit pantagruélique, Marie-Thérèse impose une discipline draconienne pour ses enfants : pas de sucre, de pâtisseries et de confitures. Le soir, ils doivent se contenter d'un potage maigre, d'un œuf et d'un dessert léger. « La personne chargée de l'entretenir en lavant et en nettoyant le corps s'en acquitte avec décence pour inspirer de bonne heure la modestie. » Les gouvernantes – les « ayas » – et les serviteurs ont l'interdiction formelle de s'adresser aux bambins en bêtifiant. Toute familiarité est proscrite.

Dès leur plus jeune âge, les enfants parlent couramment l'allemand, ou plus exactement le dialecte viennois, « jargon franco-allemand » en usage à la Cour de Vienne, le français, langage international des Cours, et l'italien. La musique tient une part importante dans leur éducation. Les jours de cérémonies, les archiduchesses sont vêtues de robes magnifiquement brodées d'or et d'argent. Engoncées dans leurs sévères corsages, héritage du temps de Charles Quint, les fillettes osent à peine bouger.

À quatre ans, Madame Antoine paraît pour la première fois en public, à l'occasion de l'anniversaire de son père. Accompagnée au piano-forte par Marie-Anne et Marie-Christine, au violoncelle par Joseph et au violon par Charles, elle chante quelques couplets en français. Avec application, Ferdinand frappe sur son petit tambour.

Le 13 octobre 1762, un prodige de six ans et demi se produit à Schönbrunn. Après avoir exécuté gavottes et menuets, le jeune Mozart s'avance d'un pas assuré vers la famille impériale. Las ! le parquet est trop ciré et il choit de tout son long. Alors qu'il se relève, empêtré dans son habit à la française et son épée de cérémonie, les rires fusent. Madame Antoine se précipite pour l'aider : « Vous Mademoiselle, vous êtes plus gentille que les autres. Aussi, je vous épouserai lorsque nous serons grands tous les deux ! »

Mozart et sa sœur jouant du piano pour la famille impériale.

En famille

En dehors des grandes cérémonies, où prévaut une étiquette surannée héritée du temps de Charles Quint, la famille impériale mène une existence extrêmement simple. En privé, Marie-Thérèse redevient épouse et mère. Afin d'éviter la présence importune des domestiques et de pouvoir parler librement, parents comme enfants ont l'habitude de se servir eux-mêmes.

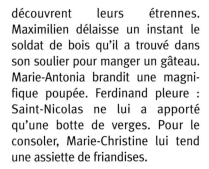

Les fêtes traditionnelles et les anniversaires sont célébrés en famille. Un tableau peint par l'archiduchesse Marie-Christine (la future duchesse de Teschen) montre la famille impériale dans son intérieur, le matin de la Saint-Nicolas 1762. Vêtu de sa robe de chambre et de son bonnet de nuit, François lit une lettre, assis près de la cheminée. Debout derrière lui, Marie-Thérèse est habillée tout aussi simplement. Les enfants découvrent leurs étrennes. Maximilien délaisse un instant le soldat de bois qu'il a trouvé dans son soulier pour manger un gâteau. Marie-Antonia brandit une magnifique poupée. Ferdinand pleure : Saint-Nicolas ne lui a apporté qu'une botte de verges. Pour le consoler, Marie-Christine lui tend une assiette de friandises.

Chaque année, la famille passe la belle saison au palais de Schönbrunn, à une lieue de Vienne. La vie y est bucolique, presque champêtre. Avec sa ménagerie et ses parterres de fleurs, le parc est prétexte à de longues promenades. Dans leur appartement du rez-de-chaussée, après avoir joué, frères et sœurs se lancent à l'assaut de pyramides de gâteaux viennois ruisselant de crème fouettée.

Pour amuser les enfants, Gluck compose des divertissements chantés sur des livrets de Métastase. Le 24 janvier 1765, à l'occasion du mariage de l'archiduc

*1762.
La famille impériale dans son intérieur à Schönbrunn, le matin de la Saint-Nicolas. Œuvre de l'archiduchesse Marie-Christine (1742-1798).*

24 janvier 1765. Marie-Antoinette dansant avec ses frères Maximilien et Ferdinand le ballet-pantomime du Triomphe de l'Amour. Attribué à Johann George Weikert (vers 1745-1799).

Joseph avec Josépha de Bavière, Marie-Élisabeth, Marie-Amélie, Marie-Josèphe et Marie-Caroline incarnent, sur la scène du théâtre de Schönbrunn, Apollon et les Muses dans *Il Parnasso confuso*. Au milieu de l'orchestre, Léopold assure le continuo. Travesti en Amour, Maximilien interprète ensuite avec Ferdinand et Marie-Antonia le ballet-pantomime du *Triomphe de l'Amour*.

Un peintre immortalise les saynètes. Devenue reine de France, Marie-Antoinette en fera exécuter une copie pour sa salle à manger de Trianon.

La famille impériale mène « l'existence simple et aisée de riches bourgeois allemands »

Goethe

Une archiduchesse aussi ignorante qu'une carpe !

Depuis la mort de son époux François Ier, le 18 août 1765, Marie-Thérèse partage le pouvoir avec le nouvel empereur : Joseph II. Contrairement à son père, celui-ci entend exercer *stricto sensu* ses droits de « co-régent ». Aussi les premiers tiraillements entre la mère et le fils ne tardent-ils pas à apparaître. Notamment au sujet du mariage de Madame Antoine.

Depuis 1764, Louis XV et Marie-Thérèse envisagent de marier le duc de Berry – le futur Louis XVI – avec l'une des filles de l'Impératrice. Des tractations ont été entreprises sans en aviser les parents du jeune prince, farouchement austrophobes. La francophobie de Joseph II constitue également un obstacle de taille. Kaunitz parvient néanmoins à gagner l'Empereur à la cause du mariage. Côté français, la mort du Dauphin, le 20 décembre 1765, permet de faire avancer les choses. Le 24 mai 1766, l'ambassadeur d'Autriche est en mesure d'écrire à Marie-Thérèse : « Le Roi s'est expliqué de façon que Votre Majesté peut regarder le projet comme décidé et assuré. »

L'archiduchesse retenue n'est autre que Madame Antoine. Au printemps 1768, alors que les pourparlers du mariage vont bon train, Marie-Thérèse s'aperçoit avec effroi que sa fille est aussi ignorante qu'une carpe ! À treize ans, elle sait à peine lire et écrire en allemand et s'exprime fort mal en français. « Tout ce qui tient aux belles-lettres, et surtout à l'histoire de son pays, lui (est) à peu près inconnu. » En bon petit perroquet, elle répète des tirades latines dont elle ne comprend pas le moindre mot. En revanche, grâce aux leçons de Métastase et à sa passion pour le théâtre, elle excelle en italien.

Tout n'est cependant pas de sa faute : « Les grandes maîtresses, n'ayant aucune inspection à craindre de la part de Marie-Thérèse, écrit Madame Campan, cherchèrent à se faire aimer de leurs élèves en suivant la route si blâmable et si commune d'une indulgence funeste aux progrès et au bonheur futur de l'enfance. Marie-Antoinette fit congédier sa grande maîtresse en avouant à l'Impératrice que toutes ses pages d'écriture et toutes ses lettres étaient tracées au crayon. » Ainsi n'avait-elle plus qu'à repasser par-dessus à l'encre le modèle rédigé par la comtesse Brandeiss !

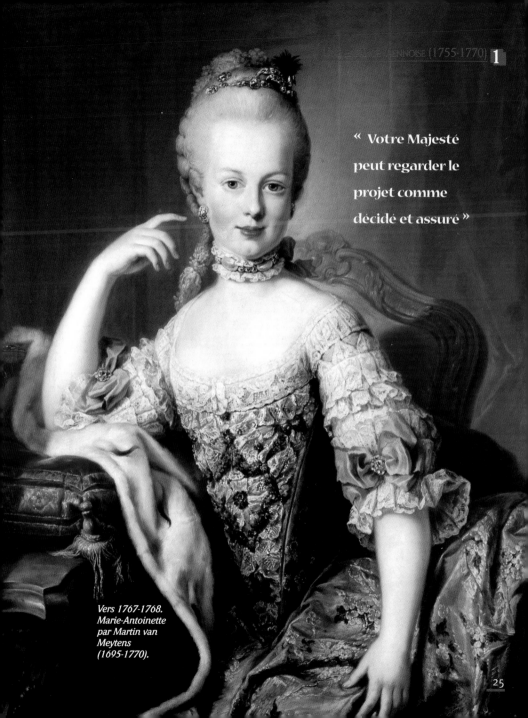

« Votre Majesté
peut regarder le
projet comme
décidé et assuré »

*Vers 1767-1768.
Marie-Antoinette
par Martin van
Meytens
(1695-1770).*

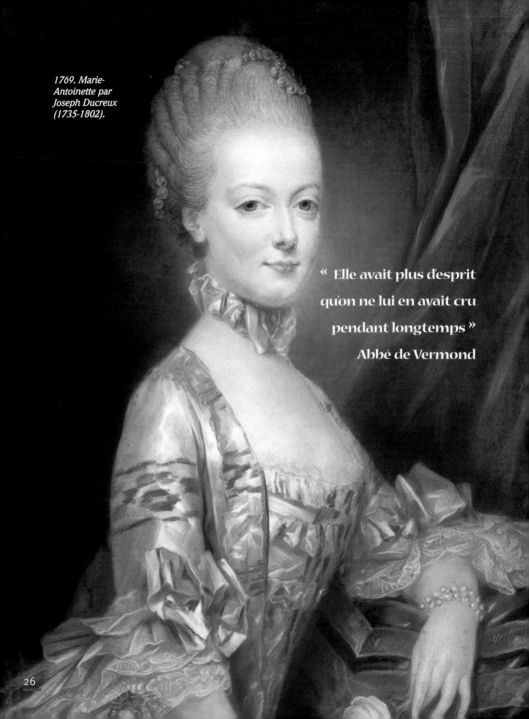

1769. Marie-Antoinette par Joseph Ducreux (1735-1802).

« Elle avait plus d'esprit qu'on ne lui en avait cru pendant longtemps »
Abbé de Vermond

Au printemps 1768, Marie-Thérèse emploie les grands moyens afin de préparer sa fille aux usages de sa future Cour. Messmer, directeur des écoles de Vienne, lui enseigne la rédaction, Gluck le clavecin, Wagenseil le piano-forte, Reutter le chant. Un professeur d'italien l'initie à l'art de la « bravoure » et aux trilles.

Noverre est chargé d'apprendre à Madame Antoine les danses à la mode à la Cour de France. Il lui donne « cette démarche aérienne qui fera tant pour sa légende ». Une troupe de comédiens français se produisant à Vienne, deux d'entre eux sont engagés comme professeurs de diction et de chant. À Versailles, on se récrit ! À la plus grande satisfaction de Marie-Thérèse : voilà deux ans que Louis XV louvoie et diffère la proclamation du mariage. Saisissant la balle au bond, elle demande qu'on lui envoie de Paris pour sa fille « un ecclésiastique versé dans la littérature et l'histoire, capable, en outre, d'initier la jeune personne à la vie qui l'attend à Versailles ».

L'abbé de Vermond est dépêché à Vienne. Bibliothécaire du collège des Quatre-Nations, il n'a aucune expérience des enfants et de l'enseignement, mais « d'origine modeste et de figure insignifiante », c'est un courtisan habile sans être obséquieux. Autrement dit : il ne fera pas de vagues !

Le mentor et son élève s'entendent à merveille. Ayant compris que l'archiduchesse est rebelle à toute contrainte, Vermond l'entretient « une heure chaque jour de divers objets importants qu'il présente de la façon la plus attrayante possible ». Madame Antoine se pique au jeu. Bientôt, l'heure se transforme en de longues causeries. Le programme comprend l'étude de la religion, de la langue et de la littérature française, de l'histoire – discipline dans laquelle « Mme l'archiduchesse (se montre) fort capable de raisonnement et de jugement » –, des usages de la Cour de France et des généalogies des grandes familles qui la composent.

Devenue reine, Marie-Antoinette écrira « fort bien le français, avec clarté et précision ». En revanche, elle conservera une orthographe quasi phonétique – chose courante à l'époque – et une écriture enfantine constellée de « pâtés d'encre ».

2 Madame la Dauphine
(1770-1774)

À quatorze ans et demi, « Madame Antoine » doit quitter sa famille et son pays pour honorer l'accord passé entre sa mère, Marie-Thérèse, et Louis XV : épouser le Dauphin de France. À son arrivée en France, elle devient Marie-Antoinette, la Dauphine.

« Fiévreux préparatifs »

Le 13 juin 1769, Marie-Thérèse reçoit enfin la demande officielle de Louis XV. La cérémonie est fixée au printemps suivant. Le 7 février 1770, un coursier de l'ambassade de France quitte Vienne à bride abattue afin de porter la grande nouvelle à Versailles : depuis cet après-midi à cinq heures un quart, Madame Antoine n'est plus une enfant.

Pendant que Kaunitz et Choiseul scrutent la moindre virgule du contrat de mariage (arrêté le 14 avril), on constitue le trousseau de la future Dauphine. Ducreux a été envoyé à Vienne pour peindre l'archiduchesse. Un coiffeur et un dentiste sont dépêchés de Paris : l'un redresse les dents de Madame Antoine, « qu'elle a belles, mais pas parfaitement droites » ; l'autre crée la fameuse coiffure « à la Dauphine ». Vermond intensifie ses leçons. Marie-Thérèse a fait installer le lit de sa fille dans sa chambre. Jour et nuit, elle lui prodigue ses conseils maternels et politiques.

Le jour de Pâques – 15 avril 1770 – M. de Durfort, « ambassadeur ordinaire de Sa Majesté Très Chrétienne », quitte Vienne de bon matin. Une heure plus tard, le voilà de retour ! Comme s'il arrivait de Versailles, mais cette fois en qualité « d'ambassadeur extraordinaire ». Quarante-huit carrosses et une suite nombreuse défilent sous les fenêtres de la comtesse Traumansdorff depuis lesquelles Madame Antoine et sa sœur Marie-Christine observent la magnifique « entrée ».

Le 16, l'envoyé de Louis XV présente la demande officielle. Le 17, Madame Antoine renonce à ses droits dynastiques en présence de sa mère, de Joseph II, de M. de Durfort et de tous les ministres. Le soir, son frère l'accueille au Belvédère, pour un souper de mille cinq cents couverts suivi d'un bal. Le lendemain, c'est au tour de l'ambassadeur de recevoir somptueusement la Cour.

Enfin, le 19 avril, à six heures du soir, le mariage par procuration est célébré dans l'église des Augustins. L'archiduc Ferdinand remplace le Dauphin. Après la cérémonie, cent cinquante invités triés sur le volet sont conviés « à admirer neuf convives princiers manger dans de la vaisselle d'or, tandis que l'artillerie fait entendre une décharge à la première gorgée bue par Leurs Majestés ».

Avril 1770 : Louis XV présente le portrait de Marie-Antoinette peint par Ducreux au Dauphin, futur Louis XVI, en présence de la famille royale. Estampe de Jean-Baptiste-André Gautier d'Agoty (1740-1786).

« On peut trouver des figures plus régulièrement belles ; je ne crois pas que l'on puisse en trouver de plus agréable »

Abbé de Vermond

*La cour d'honneur
du château de
Schönbrunn,
par Bernardo Belloto
(1721-1780).*

La remise aux Français

Le samedi 21 avril 1770, à neuf heures et demie, un long cortège de cinquante-sept voitures, précédé de trois postillons sonnant du cor, quitte Vienne. Lorsqu'il passe devant Schönbrunn, « Madame Antoine » contemple une dernière fois la grande façade jaune. Foin de nostalgie ! Au bout du chemin, tout là-bas, une nouvelle vie attend « Madame la Dauphine ».

Lentement, Marie-Antoinette – c'est ainsi qu'elle se nomme désormais – chemine vers la France. À chaque étape, on se presse pour l'acclamer. Le 7 mai, à onze heures, « au milieu d'un grand concours de peuple » et sous une pluie battante, la Dauphine arrive devant

« Ne me parlez point
allemand, messieurs ;
à dater d'aujourd'hui
je n'entends plus
d'autre langue que
le français »
Marie-Antoinette
au chef du magistrat
de Strasbourg

Strasbourg, où elle doit officiellement être remise aux Français.

Un pavillon à deux entrées a été aménagé sur une île du Rhin. Deux appartements entourent un vaste salon. Quoi qu'en dira Madame Campan – absente ce jour-là ! – dans ses *Mémoires*, il y a alors beau temps que l'on ne déshabille plus les princesses lors de leur remise, « pour qu'elle(s) ne conserve(nt) rien d'une cour étrangère, pas même (leur) chemise et (leurs) bas ». Entrée du côté autrichien, Marie-Antoinette se contente de changer son costume de voyage pour une magnifique robe d'étoffe d'or apportée de Vienne. Sa chemise, ses bas, et même ses bijoux de jeune fille lui sont laissés.

Suivie de son escorte, la Dauphine pénètre dans le salon richement décoré. Elle s'arrête devant la grande table symbolisant la frontière. Le comte de Noailles se tient de l'autre côté avec ses deux adjoints. La porte autrichienne reste ouverte, la française close. Noailles prononce un discours « d'une rare banalité », puis l'acte officiel est lu. Voilà l'archiduchesse française.

La suite autrichienne se retire – seul le prince Stahremberg, commissaire plénipotentiaire chargé de la remise, ira jusqu'à Versailles – et la porte « sur l'Allemagne » se referme. Celle « sur la France » peut s'ouvrir. Elle laisse apparaître la suite française. Désemparée, la Dauphine se jette dans les bras de sa dame d'honneur. Pour la première fois, la comtesse de Noailles la rappelle à l'ordre de son célèbre : « Madame ! l'Étiquette ! »

Rencontre en forêt de Compiègne

Après deux jours de festivités à Strasbourg, le cortège reprend sa route. Il fait beau. Le voyage se poursuit dans l'allégresse. Tout au long du chemin, les populations se précipitent pour acclamer la Dauphine. Le 14 mai, au soir, on touche enfin au but.

Non loin du pont de Berne, à l'orée de la forêt de Compiègne, gardes du corps, chevau-légers et mousquetaires sont rangés en bataille. Ils contiennent une foule nombreuse, accourue pour assister à l'arrivée de la Dauphine. Affichant un large sourire, Louis XV attend sa petite-fille. En dépit de la soixantaine, « il est toujours le plus bel homme du royaume ». Près de lui se tient le Dauphin. Gauche et timide, Louis-Auguste se balance d'un pied sur l'autre.

14 mai 1770. Arrivée de Madame la Dauphine dans la forêt de Compiègne. Elle rencontre pour la première fois le Dauphin, futur Louis XVI, en présence de Louis XV et de la famille royale.

« La Dauphine est entre mes mains depuis quatre heures. J'en suis très content et mon petit-fils aussi » Lettre de Louis XV à l'infant de Parme, le 14 mai 1770.

Les trois filles du roi s'impatientent. Il ne reste plus grand-chose des aimables nymphes peintes par Nattier. Vieilles filles revêches montées en graine, Adélaïde, Victoire et Sophie maugréent. Il y a quelques jours, leur cadette, Louise, est allée s'enterrer vivante au carmel de Saint-Denis afin de racheter les pêchés de leur père. Et voilà maintenant qu'il leur faut faire bonne figure à la fille de Marie-Thérèse. Comme bien des Français, Mesdames n'ont pas digéré la paix humiliante de 1763. Aussi, l'un des officiers de la Dauphine venu demander ses ordres à Madame Adélaïde avant de partir pour Strasbourg s'est-il attiré cette cinglante réponse : « Si j'avais des ordres à donner, ce ne serait pas pour envoyer chercher une Autrichienne. » « L'Autrichienne ». Né chez Mesdames, le surnom aura la vie dure...

Soudain, les clameurs redoublent. On aperçoit le cortège de la Dauphine. Son carrosse s'arrête.

Sans se soucier de l'Etiquette, Marie-Antoinette en jaillit. Elle s'élance au devant du roi et se jette à ses pieds. Madame de Noailles fronce les sourcils, mais Louis XV, charmé, relève sa petite fille et l'embrasse chaleureusement. Puis il lui présente le Dauphin. L'adolescente lui saute au cou. Grand dadais de quinze ans, Louis-Auguste, gêné, rougit jusqu'aux oreilles puis « il pose sur sa joue un baiser contraint ». Louis XV éclate de rire. Décidément, la Dauphine est charmante.

Hyménée !

Le 16 mai 1770, à Versailles, à une heure de l'après-midi, Marie-Antoinette, vêtue d'une magnifique robe de Cour, étincelante de diamants, pénètre dans le cabinet du roi. Tout aussi somptueusement vêtu – son habit d'or a coûté douze mille trois cent vingt-deux livres ! – Louis-Auguste s'avance vers elle en se dandinant. Il lui donne la main.

Suivi du roi et des princes, le couple traverse les appartements noirs de monde. Madame Campan – cette fois présente ! – raconte : « Madame la Dauphine, alors âgée de [quatorze ans et demi], éclatante de fraîcheur, parut mieux que belle à tous les yeux. Sa démarche tenait à la fois du maintien imposant des princesses de sa Maison et des grâces françaises ; ses yeux étaient doux, son sourire aimable. Lorsqu'elle se rendait à la chapelle, dès les premiers pas qu'elle avait faits dans la longue galerie, elle avait découvert, jusqu'à l'extrémité de cette pièce, les personnes qu'elle devait saluer avec les égards dus au rang, celles à qui elle accorderait une inclinaison de la tête, celles enfin qui devraient se contenter d'un sourire, en lisant dans ses yeux un sentiment de bienveillance fait pour consoler de n'avoir pas droit aux honneurs. »

Dans la chapelle, les Suisses forment la haie. Dans la nef et les galeries, la fine fleur du royaume se pousse, se presse, s'entasse. « Bien des dames soupirent en voyant leurs paniers écrasés comme des galettes. » Au pied de l'autel, les mariés prennent place sur des carreaux de velours rouge frangés d'or. Le roi s'est installé sur son prie-Dieu.

Archevêque de Reims et grand aumônier de France, Monseigneur de la Roche-Aymon officie. D'un geste solennel, il bénit les treize pièces d'or et les anneaux. Comme l'exige le protocole, avant de passer l'un d'eux au doigt de Marie-Antoinette, Louis-Auguste se tourne vers son grand-père. D'un hochement de tête, Louis XV acquiesce. Comme chef de famille et comme roi, il donne ainsi son consentement. Le prélat ayant béni les époux agenouillés devant lui, la messe commence. Louis-Auguste affiche un large sourire. Le voilà marié !

Sur le registre de la paroisse, le roi puis le Dauphin apposent leur signature. Marie-Antoinette prend la plume. Sa main tremble. Elle fait un pâté.

16 mai 1770. Mariage de Louis-Auguste, Dauphin de France, et Marie-Antoinette, archiduchesse d'Autriche, princesse royale de Hongrie et de Bohême, dans la chapelle du château de Versailles. Estampe coloriée, par Claude-Louis Desrais (1746-1816).

Le Dauphin « rougit
jusqu'aux yeux en
donnant l'anneau »
duchesse de
Northumberland

Un jeune couple

Lors du repas de noces, Marie-Antoinette mange à peine. Fidèle à lui-même, Louis-Auguste dévore à belles dents. Discrètement, le roi se penche vers son petit-fils : « Ne vous chargez pas trop l'estomac pour cette nuit. » Étonné, le Dauphin sourit : « Pourquoi donc ? Je dors toujours mieux lorsque j'ai bien soupé ! »

De fait, Louis-Auguste n'a rien d'un foudre de guerre. Au soir de cette grande journée, toute la Cour accompagne le jeune couple dans sa chambre. On se presse afin d'apercevoir le grand aumônier bénir la couche nuptiale. Le roi présente sa chemise de nuit au Dauphin, « qui semble de plus en plus ennuyé et somnolent » ; la duchesse de Chartres tend la sienne à la Dauphine « toute rougissante ». Les époux se couchent. On tire les rideaux du lit, puis, brusquement – ainsi le veut l'Etiquette – on les rouvre. Après s'être « incliné profondément », l'assistance peut alors sortir derrière le roi. Et le Dauphin s'endormir comme une masse...

Pauvre Louis-Auguste. Est-ce de sa faute ? Jusque-là, il a été pour le moins privé d'affection. Autour de lui, les morts tragiques se sont succédé. Il y a d'abord eu Bourgogne (1751-1761), ce frère aîné paré de toutes les vertus, emporté par la tuberculose. Depuis, on n'a cessé de soupirer : pourquoi un tel coup du sort ? Pourquoi Louis-Auguste est-il le puîné ? Pourquoi n'est-ce pas Provence, si mûr et si intelligent ? Après Bourgogne, le Dauphin (1729-1765) puis la Dauphine (1731-1767) s'en sont allés. Pour toute famille, il est resté à Louis-Auguste Mesdames et le roi, ce grand-père qu'il ne voit guère en dehors des cérémonies.

Élevé par « cette baudruche vaniteuse de duc de La Vauguyon », Louis-Auguste a cruellement manqué de tendresse. À cela s'ajoutent les questionnements de l'adolescence et une timidité maladive, aggravée par une handicapante myopie. Mais Marie-Antoinette parvient à apprivoiser l'adolescent bougon. Au lendemain d'une indigestion mémorable, elle interdit que l'on serve des pâtisseries au Dauphin. Louis-Auguste est ému aux larmes. Jamais quiconque ne s'est ainsi intéressé à lui. Il fond. Il vient de réaliser qu'il est aimé.

« Je trouve ma
femme charmante,
je l'aime, mais il
me faut encore
quelque temps
pour vaincre ma
timidité »
Louis-Auguste

*Louis-Auguste de France,
duc de Berry, Dauphin de
France, par Louis-Michel
Van Loo (1707-1771).
Le futur Louis XVI est ici
représenté en 1769, peu de
temps avant son mariage.*

La journée de la reine sera tout aussi immuable que celle de la Dauphine. Marie-Antoinette est ici représentée dans sa chambre, à Versailles. Au premier plan, Jean-Baptiste-André Gautier d'Agoty (1740-1786) est en train de peindre le portrait de la souveraine qu'il achèvera en juillet 1775.

Une journée ordinaire

À son arrivée à Versailles, Marie-Antoinette mène une existence fort sage. Ses journées sont rythmées par le protocole et les visites à Mesdames. Le 12 juillet 1770, elle écrit à sa mère :

« Je me lève à dix heures ou à neuf heures et demie, et, m'ayant [sic] habillée, je dis mes prières du matin, ensuite je déjeune, et de là je vais chez mes tantes, où je trouve ordinairement le roi. Cela dure jusqu'à dix heures et demie ; ensuite à onze heures je vais me coiffer. À midi, on appelle la Chambre et tout le monde peut entrer, ce qui n'est point des communes gens. Je mets mon rouge et lave mes mains devant tout le monde, ensuite les hommes sortent et les dames restent et je m'habille devant elles.

« À midi est la messe ; si le roi est à Versailles, je vais avec lui et mon mari et mes tantes à la messe ; s'il n'y est pas, je vais seule avec M. le Dauphin, mais toujours à la même heure. Après la messe, nous dînons à nous deux devant tout le monde, mais cela est fini à une heure et demie, car nous mangeons fort vite tous les deux. De là, je vais chez M. le Dauphin, et s'il a affaires, je reviens chez moi, je lis, j'écris ou je travaille, car je fais une veste pour le roi, qui n'avance guère, mais j'espère qu'avec la grâce de Dieu, elle sera finie dans quelques années.

« À trois heures, je vais encore chez mes tantes où le roi vient à cette heure-là ; à quatre heures vient l'abbé [de Vermond, devenu son lecteur] chez moi ; à cinq heures tous les jours le maître de clavecin ou à chanter jusqu'à six heures. À six heures et demie, je vais presque toujours chez mes tantes, quand je ne vais pas me promener ; il faut savoir que mon mari va presque toujours avec moi chez mes tantes. À sept heures, on joue jusqu'à neuf heures, mais quand il fait beau, je m'en vais me promener et alors il n'y a point de jeu chez moi, mais chez mes tantes.

« Voilà toute notre journée »

« À neuf heures, nous soupons, et quand le roi n'y est point, mes tantes viennent souper chez nous, mais quand le roi y est, nous allons après souper chez elles, nous attendons le roi, qui vient ordinairement à dix heures trois quart, mais moi en attendant, je me place sur un grand canapé et dors jusqu'à l'arrivée du roi, mais quand il n'y est pas, nous allons nous coucher à onze heures. Voilà toute notre journée. »

La Dauphine s'amuse

L'Etiquette ! Toujours l'Etiquette ! Comment ne pas périr d'ennui devant cet immuable programme ? Quel changement pour Marie-Antoinette. À Vienne aussi il y avait le protocole ; mais, dans son intérieur, la famille impériale oubliait ses lourdes contraintes. Depuis que la Dauphine bât froid Mme du Barry, Mesdames trouvent leur nièce adorable. Mais Dieu que les vieilles Parques sont ennuyeuses...

Alors qu'elle va sur ses quinze ans, Marie-Antoinette entend goûter les plaisirs de son âge. Par chance, deux fois par semaine, il y a bal : le lundi chez la Dauphine, le mercredi chez Mme de Noailles. Jusqu'à six heures du matin ! Pour plaire à l'adolescente, on organise d'autres fêtes, on imagine d'autres distractions.

Comprenant l'intérêt qu'il y a à cajoler leur nièce, Mesdames ont fait taire leurs *a priori*. Au crédit de la petite : son exécration de la « Créature » – la maîtresse royale Mme du Barry – et son amour sincère pour le Dauphin. Leur influence sur leur nièce est considérable. À l'affût du moindre ragot – les plus salaces n'étant pas pour leur déplaire ! –, ces trois insatiables pies encouragent sans le vouloir le penchant moqueur de l'adolescente.

Au grand désespoir de Marie-Thérèse, tenue au courant du moindre des faits et gestes de sa fille par Mercy, son ambassadeur, la petite folâtre. À la lecture, elle préfère jouer avec les poupées vivantes que sont les enfants de ses femmes de chambre. Deux mois durant, Marie-Antoinette s'entête et refuse de porter un corset ! Il est vrai, aussi, que l'été 1770 est particulièrement chaud.

Trois ou quatre fois par semaine, la Dauphine se promène à dos d'âne. Encouragée en sous-main par Mesdames, cette distraction bien innocente scandalise Marie-Thérèse. Elle n'est pas au bout de ses peines : voilà que la petite s'est maintenant mise en tête de monter à cheval ! Pour l'Augustissima, c'en est trop. Mais puisque le roi et le Dauphin approuvent... Il faut bien laisser faire. Un jour, un pacifique baudet désarçonne Marie-Antoinette. Elle rit aux larmes : « Laissez moi à terre, s'exclame-t-elle, il faut attendre Mme de Noailles. Elle vous fera voir comment il convient de relever une Dauphine qui est tombée d'un âne. »

« Elle écouta plutôt la
raillerie que la raison, et
surnomma Mme la
comtesse de Noailles :
Madame l'Étiquette »
Madame Campan

*La dauphine
Marie-Antoinette.
Joseph Ducreux
(1735-1802) a
peint ici sur toile,
vers 1770, une
variante du pastel
qu'il avait exécuté
à Vienne en 1769.*

« Nous régnons trop jeunes »

Le jeudi 28 avril 1774, Louis XV est ramené de toute urgence de Trianon, où il se trouve avec Mme du Barry et une suite réduite. La veille, il a été victime d'un malaise durant la chasse. Il s'est mis au lit de bonne heure, mais dans la nuit, il a fallu appeler le médecin.

Le 29 avril, les spécialistes les plus réputés examinent le roi. Les avis divergent : fièvre humorale ? catarrhale ? maligne ? Vers dix heures et demie du soir, Louis XV désire boire. Un laquais avance un flambeau afin de l'aider à distinguer son verre. Tous se figent en voyant son visage. C'est la variole. À l'annonce de la nouvelle, la terreur se lit dans les regards. On s'empresse d'éloigner le Dauphin et ses frères. Seule Marie-Antoinette a été inoculée (en 1768, à Vienne). Passant outre, Mesdames vont assister leur père jusqu'à son dernier souffle.

« Un bruit terrible et absolument semblable à celui du tonnerre se fit entendre »

Une longue agonie commence. Mme Campan raconte : « Toute la Cour se rendit au château ; l'Œil-de-bœuf [antichambre du roi] se remplit de courtisans, le palais de curieux. Le Dauphin avait décidé qu'il partirait avec la famille royale, au moment où le roi rendrait le dernier soupir. Mais, dans une semblable occasion, la bienséance ne permettait guère de faire passer de bouche en bouche des ordres positifs de départ. Les chefs des écuries étaient donc convenus avec les gens qui étaient dans la chambre du roi que ceux-ci placeraient une bougie allumée près d'une fenêtre et qu'à l'instant où le mourant cesserait de vivre, un d'eux éteindrait la bougie. »

Allégorie en l'honneur du sacre de Louis XVI, couronné à Reims le 11 juin 1775.

Le 10 mai, à trois heures un quart de l'après-midi, « la bougie fut éteinte [...]. Le Dauphin était chez la Dauphine. Ils attendaient ensemble la nouvelle de la mort de Louis XV. Un bruit terrible et absolument semblable à celui du tonnerre se fit entendre dans la première pièce de l'appartement : c'était la foule des courtisans qui désertait l'antichambre du souverain expiré, pour venir saluer la nouvelle puissance de Louis XVI. À ce bruit étrange, Marie-Antoinette et

son époux reconnurent qu'ils allaient régner, et, par un mouvement spontané qui remplit d'attendrissement ceux qui les entouraient, tous deux se jetèrent à genoux ; tous deux, en versant des larmes s'écrièrent : "Mon Dieu, guidez-nous, protégez-nous, nous régnons trop jeunes ". »

3 La journée d'une reine
(1774-1789)

Réveil officiel, toilette, séance d'habillage,

messe, visite à Mesdames Tantes…

Les journées d'une reine se suivent et

se ressemblent. Le soir venu, la reine commence

à se divertir : entre spectacles, bals et jeu,

Marie Antoinette écrit sa légende.

Les petites entrées

Dans ses lettres à Marie-Thérèse, Mercy, en bon espion, lui conte par le menu tout ce que fait sa fille. Que la cour se trouve à Versailles ou dans une autre résidence, « il y a une telle uniformité dans la façon dont la reine emploie son temps qu'il n'existe presque pas la moindre différence d'une journée à l'autre ».

Lorsque le roi a passé la nuit chez la reine, il se lève toujours avant elle. Vers huit heures, la première femme de chambre ouvre la porte au premier valet de chambre de quartier et à un garçon du roi. Après avoir éteint le flambeau qui, depuis la veille, brûle dans un bassin d'argent, ils tirent les courtines du côté où se trouve le roi et ils lui présentent ses pantoufles et sa robe de chambre. Par un couloir secret,

Chambre de Marie-Antoinette à Versailles (décor de 1787).

« Cette Étiquette qui, dans la vie intérieure de nos princes, les avait amenés à se faire traiter en idoles, dans leur vie privée en faisait des victimes de toutes les convenances »

Mme Campan

« éclairé nuit et jour aux lampes », Louis XVI regagne ses appartements. Le premier valet de chambre porte l'épée courte du souverain. La reine se rendort.

Généralement, Marie-Antoinette se lève entre neuf et dix heures. Elle déjeune « souvent dans son lit, quelquefois debout, sur une petite table en face de son canapé ». Les petites entrées sont aussitôt admises : le premier médecin, le premier chirurgien, le médecin ordinaire, le lecteur et le secrétaire du cabinet de la reine – l'abbé de Vermond cumule ces deux charges jusqu'en 1789 – ; mais aussi les quatre premiers valets de chambre, leurs survivanciers, le premier médecin et le premier chirurgien du roi. Ayant contemplé la souveraine buvant son café ou son chocolat, ces dignes personnages se retirent lorsque arrive Monsieur ou le comte d'Artois, « ou quelque princesse de la famille royale ». Peu avant onze heures et demie, tout ce petit monde s'égaie pour aller assister au lever du roi.

La reine profite de ce répit pour prendre son bain. Une baignoire sabot est roulée dans sa chambre. « Vêtue d'une longue robe de flanelle boutonnée jusqu'au cou », Marie-Antoinette procède à ses ablutions... en présence de ses femmes ! « Pendant qu'elle sort du bain, elle exige qu'un drap soit tendu pour (les) empêcher de l'apercevoir. » Comme le prescrit la faculté, la reine se recouche ensuite un moment pour se reposer de l'effort du bain.

Les grandes entrées

Après les petites entrées, la reine doit se plier aux grandes. À midi, elle se relève. « Elle va s'asseoir devant sa toilette, placée au milieu d'un cercle de pliants réservés aux grandes charges féminines. Les grandes entrées masculines, debout, regardent Marie-Antoinette se faire coiffer et mettre son rouge. »

La reine coiffée, les hommes se retirent. La cérémonie de l'habillement commence. Madame Campan raconte : « L'habillement de la princesse était un chef d'œuvre d'Étiquette ; tout y était réglé. La dame d'honneur et la dame d'atours, toutes deux si elles se trouvaient ensemble, aidées de la

« Marie-Antoinette trouva, dans le château de Versailles, une foule d'usages établis et révérés qui lui parurent insupportables » Mme Campan

première femme et des femmes ordinaires, faisaient le service principal ; mais il y avait en elles des distinctions. La dame d'atours passait le juponet, présentait la robe. La dame d'honneur versait l'eau pour laver les mains et passait la chemise. Lorsqu'une princesse de la famille royale se trouvait à l'habillement, la dame d'honneur lui cédait la première fonction, mais ne la cédait pas directement aux princesses du Sang ; dans ce cas, la dame d'honneur remettait la chemise à la première femme qui la présentait à la princesse du Sang. Chacune de ces dames observait scrupuleusement ces usages comme tenant à des droits.

« Un jour d'hiver, il arriva que la reine, déjà toute déshabillée, était au moment de passer sa chemise, je la tenais toute dépliée ; la dame d'honneur entre, se hâte d'ôter ses gants et prend la chemise. On gratte à la porte, on ouvre : c'est Mme la duchesse d'Orléans [princesse du Sang] ; ses gants sont ôtés, elle s'avance pour prendre la chemise, mais la dame d'honneur ne doit pas la lui présenter ; elle me la rend, je la donne à la princesse ; on gratte de nouveau : c'est Mme, comtesse de Provence ; la duchesse d'Orléans lui présente la chemise.

« La reine tenait ses bras croisés sur sa poitrine et paraissait avoir froid. Madame voit son attitude pénible, se contente de jeter son mouchoir, garde ses gants, et, en passant la chemise, décoiffe la reine, qui se met à rire pour déguiser son impatience, mais après avoir dit plusieurs fois entre ses dents : "C'est odieux ! Quelle importunité !" »

Marie-Antoinette en robe de cour de satin cerise.

Rose et Léonard

Dès 1774, Marie-Antoinette décide de simplifier la cérémonie du lever. Désormais, ses cheveux brossés et son rouge mis, « la reine (fait) un salut général en quittant sa toilette, et se retir(e) dans ses cabinets pour s'habiller ».

« Le valet de garde-robe présent(e), tous les matins, à la première femme de chambre un livre sur lequel (sont) attachés les échantillons des robes, grands habits, robes déshabillées, etc. Une petite

Rose Bertin (1744-1813).

portion de la garniture indiqu(e) de quel genre elle (est) ; la première femme de chambre présent(e) ce livre, au réveil de la reine, avec une pelote ; Sa Majesté plac(e) des épingles sur ce qu'elle désir(e) pour la journée : une sur le grand habit qu'elle (veut), une sur une robe parée, pour l'heure du jeu ou le souper des petits appartements. On report(e) ce livre à la garde-robe, et bientôt on (voit) arriver, dans de grands taffetas, tout ce qui est nécessaire pour la journée. »

Leur rang subalterne leur interdisant les entrées, la reine reçoit sa couturière, Rose Bertin, et son coiffeur, Léonard, dans son petit cabinet intérieur (actuel cabinet de la Méridienne). L'Étiquette leur impose de travailler pour son usage exclusif, mais, précise Mme Campan, « la reine, craignant que le goût du coiffeur ne se perdît en cessant de pratiquer son état, voulut qu'il continuât à servir plusieurs femmes de la Cour et de Paris ». Pareillement pour la marchande de mode. Marie-Antoinette préfère partager ses fournisseurs, plutôt que de risquer de ressembler aux « paquets », ces femmes « lourdaudes et mal fagotés » dont elle « rit sans la moindre retenue ». Les extravagances des deux « artistes » n'ont pas de bornes. Leurs factures non plus ! Madame Campan se désespère : « La reine, jusqu'à ce moment, n'avait développé qu'un goût fort simple pour sa toilette ; elle commença à en faire une occupation principale ; elle fut naturellement imitée par toutes les femmes. »

Mais l'on se récrie encore plus fort lorsqu'en 1783, la reine se fait peindre par Mme Vigée Le Brun revêtue d'une chemise ou « en gaulle » de mousseline et coiffée d'un chapeau de paille. La toile fait scandale. La reine veut-elle ruiner l'industrie du luxe ? Ainsi va la Cour...

Page du livre présenté tous les matins à Marie-Antoinette (Archives nationales de France).

« On ne peut avoir d'yeux que pour la reine ! Les Hébés et les Flores, les Hélènes et les Grâces ne sont que des coureuses de rue à côté d'elle » Walpole

Coiffure à l'Indépendance, ou le triomphe de la Liberté.

La messe

Les jours ordinaires, la reine entend la messe avec le roi, dans la tribune, en face du maître-autel et de la musique. Les jours de grande cérémonie, leurs fauteuils sont en revanche placés en bas, « sur des tapis de velours à franges d'or ».

Chaque jour que Dieu fait, à midi quarante-cinq, la reine sort de ses appartements par le salon de la Paix pour se rendre à la messe. Elle entre dans la Grande Galerie, « suivie de toute sa Maison, de son clergé, et des princesses de la famille royale accompagnées à leur tour par leur service et leurs charges d'honneur ». Le dimanche, le cortège est encore plus impressionnant !

À midi quarante, le roi, accompagné de son service, gagne les appartements de la reine. Madame de La Tour du Pin raconte : « À une heure moins un quart, on se mettait en mouvement pour aller à la messe. Le premier gentilhomme de la chambre d'année, le capitaine des gardes de quartier et plusieurs autres officiers des gardes ou grandes charges prenaient les devants, le capitaine des gardes le plus près du roi. Puis venaient le roi et la reine marchant l'un à côté de l'autre, et assez lentement pour dire un mot en passant aux nombreux courtisans qui faisaient la haie tout le long de la

Les dames du palais de Marie-Antoinette « suivant leur rang ». Versailles, 1777.

« Avant qu'on ne fût placé, qu'on eût rangé la queue de sa robe et qu'on eût fouillé dans son immense sac, la messe était déjà à l'évangile »

galerie [...]. Derrière, venaient les dames suivant leur rang [...].

« C'était un grand art que de savoir marcher dans ce vaste appartement sans accrocher la longue queue de la robe de la dame qui vous précédait. Il ne fallait pas lever les pieds une seule fois mais les glisser sur le parquet, toujours luisant, jusqu'à ce que l'on eût traversé le salon

d'Hercule. Après quoi on jetait son bas de robe sur un côté de son panier, et, après avoir été vue par son laquais qui attendait avec un grand sac de velours rouge à crépines d'or, on se précipitait dans les travées de droite et de gauche de la chapelle, de manière à tâcher d'être le plus près possible de la tribune où étaient le roi, la reine, et les princesses [...].

« Votre laquais déposait le sac devant vous ; on prenait son livre dans lequel on ne lisait guère, car avant qu'on ne fût placé, qu'on eût rangé la queue de sa robe et qu'on eût fouillé dans son immense sac, la messe était déjà à l'évangile. »

Le « dîner »

La messe est suivie « d'une demi-heure de leçon de harpe ». Leçon toute relative ! Marie-Antoinette y accorde volontiers audience à ceux qui demandent à la voir. Vers une heure et demie, l'on passe à table.

Depuis le début du règne, le dîner se tient au petit-couvert, le public n'y étant pas admis. Vers deux heures, il fait place « à une heure de conversation avec la famille royale, qui se rassembl(e) en totalité ou en partie tantôt chez la reine, quelquefois chez Madame, ou chez Mme la comtesse d'Artois ou chez Mesdames ses tantes ».

Le dimanche, il faut cependant dîner en public devant toute la Cour dans le grand cabinet de la reine (salon des nobles). Lorsque la souveraine assiste au grand-couvert, l'Étiquette impose que seules des femmes assurent le service de la table royale. Officiers du roi et dames de la reine se passent donc les plats de main en main selon un ballet savamment mis en scène par le protocole. On comprend que Marie-Antoinette ait tout fait pour échapper à ce pensum que Louis XVI exècre tout autant ! Rapidement, il n'a plus lieu qu'en présence du souverain, dans la première antichambre de celui-ci.

La corvée familiale est réservée aux jours de fêtes et de grande cérémonies. Le roi mange de bon appétit. La reine, en revanche, n'ôte pas ses gants et ne déploie pas sa serviette, ce qui suscite bien des commentaires. Le dîner terminé, commence « une véritable course pour faire sa cour aux princes et princesses de la famille royale, qui dîn(ent) beaucoup plus tard ». C'est à qui arrivera le premier. Ces visites ne durent pourtant que trois ou quatre minutes. Les salons des princes sont en effet si exigus qu'il faut presque dès leur arrivée congédier les premiers venus pour laisser la place aux suivants ! Et Mme Campan de constater avec drôlerie : « Les huissiers laissaient entrer tous les gens proprement mis ; ce spectacle faisait le bonheur des provinciaux. À l'heure des dîners, on rencontrait, dans les escaliers, que de braves gens qui, après avoir vu [le couple royal] manger sa soupe, allaient voir les princes manger leur bouilli et qui couraient ensuite à perdre haleine pour aller voir Mesdames manger leur dessert. »

Madame Campan (1752-1822), lectrice de Mesdames, puis première femme de chambre de la reine Marie-Antoinette, elle ouvrira après le 9 thermidor an II, à Saint-Germain-en-Laye, un célèbre pensionnat de jeunes filles. En 1805, Napoléon Ier lui confiera la direction de la maison de la Légion d'honneur, à Écouen.

Au grand-couvert, « le roi mangeait de bon appétit, mais la reine n'ôtait pas ses gants et ne déployait pas sa serviette, en quoi elle avait grand tort » Mme de La Tour du Pin

Un moment d'intimité

« Depuis trois heures jusqu'à six, précise Mercy, le temps était distribué fort inégalement et d'une façon variable entre l'abbé de Vermond, moi, la musique, les favorites de la reine et ceux des externes auxquels elle accordait des audiences. » Le plus souvent, la reine se retire dans ses appartements privés : les cabinets intérieurs. Nul ne peut y pénétrer s'il ne figure sur la liste remise par Marie-Antoinette à ses femmes et sans s'y faire annoncer.

Grand cabinet intérieur de la reine, à Versailles. Entièrement repris par Richard Mique en 1783, il est, depuis lors, également appelé « cabinet doré ».

Marie-Antoinette reçoit son cercle et donne ses audiences privées « dans la principale de toutes ces pièces » : son grand cabinet intérieur (cabinet doré depuis 1783). « Des meubles charmants, grêles et fins, ornent cette retraite, où, écrit Pierre de Nolhac, Marie-Antoinette passe la plus grande partie de son temps. Une harpe, un pupitre chargé de musique, un clavecin de Taskin toujours ouvert attestent de son goût favori. Son fauteuil est entouré de chaises basses pour ses corbeilles à ouvrage et ses sacs de laines de tapisserie. » La reine y est entourée de ses objets préférés et des portraits de ses proches. Elle « aime tant les fleurs qu'une de ses femmes a pour unique fonction de soigner celles de l'appartement ; elle en met partout, et surtout dans le grand cabinet ».

Jamais la conversation ne s'élève au-delà du bavardage de salon. On parle théâtre, on cancane, on médit. « La chanson nouvelle, le bon mot du jour, les petites anecdotes scandaleuses form(ent) les seuls sujets d'entretien du cercle intime de la reine. Le bel esprit en (est) banni. »

« À la sortie du dîner, la reine rentrait seule dans son appartement avec ses femmes ; elle ôtait son panier et son bas de robe »
Mme Campan

« La reine, écrit le baron de Besenval, est loin de manquer d'esprit, mais son éducation a été nulle sous le rapport de l'instruction. Hors quelques romans, elle n'a jamais ouvert un livre, et ne recherche pas même les notions que la société peut donner ; dès qu'une matière prend une couleur sérieuse, l'ennui se montre sur son visage et glace l'entretien. Sa conversation est décousue, sautillante, et voltige d'objet en objet. Sans aucun fond de gaieté personnelle, elle s'amuse de l'historiette du jour, de petites libertés gazées avec adresse, et surtout de la médisance comme on prépare à la Cour ; voilà ce qui lui plaît. »

La promenade et le spectacle

En hiver, lorsque la neige étend son blanc manteau, la reine, emmitouflée dans ses fourrures, organise des « parties de traîneau ». Elle retrouve alors les joies de son enfance. « Les courses dans le parc procur(ent) un plaisir partagé par les spectateurs. » Sans se soucier de l'heure, elle pousse parfois jusqu'à Paris, où son équipage se lance à vive allure sur les boulevards.

En été, afin de profiter de la fraîcheur du soir, Marie-Antoinette organise d'innocentes promenades sur les terrasses de Versailles. Le comte d'Artois a eu l'idée de faire venir les musiciens de la chapelle. Bien qu'elle soit toujours accompagnée de l'une de ses belles-sœurs

« Sa Majesté fait de la musique et souvent me donne audience jusqu'au moment de la promenade, qui est à cinq heures et qui dure presque jusqu'au temps du souper » Mercy

Hiver 1774-1775. Promenade dans le parc de Versailles au moment de l'abattage des arbres. Au premier plan, le peintre Hubert Robert (1733-1808) a représenté Louis XVI et Marie-Antoinette.

Pour la seule année 1777, on ne dénombre pas moins de quatre-vingt-treize représentations : quarante-huit de la Comédie-Française, vingt-quatre de la Comédie-Italienne, sept de l'Opéra, deux spectacles de parodies, deux de proverbes et dix ballets détachés.

« Pendant l'hiver, depuis le mois de décembre jusqu'à Pâques, se souvient le comte d'Hézecques, les divers spectacles de Paris venaient à Versailles faire le service de la Cour. Le mardi était consacré à la tragédie, le jeudi à la Comédie-Française, et le vendredi à l'Opéra-Comique. Le grand Opéra ne jouait que cinq à six fois chaque hiver, et c'était le mercredi. »

ou de l'une de ses dames, cela vaut à la reine de vives critiques. Marie-Antoinette n'hésite pas, en effet, à se mêler à la foule des Versaillais venus profiter du concert.

Trois à quatre fois par semaine, il y a spectacle. À six heures. Dans les faits, pour ne pas désorganiser le cérémonial du souper, le roi fixe l'heure de la représentation en fonction de la durée : tout doit être achevé à « neuf heures précises ».

Durant la belle saison, les troupes se rendent également à Fontainebleau et à Compiègne. Lors des « petits voyages de Choisy », il y a souvent spectacle deux fois dans la même journée : « Grand opéra, comédie française ou italienne à l'heure ordinaire, et à onze heures du soir on rentr(e) dans la salle de spectacle, pour assister à des représentations de parodies où les premiers acteurs se montr(ent) dans les rôles sous les costumes les plus bizarres. »

Le jeu de la reine

Bien que le lansquenet et le pharaon soient interdits partout ailleurs dans le royaume, le roi tolère la passion de son épouse pour ces divertissements ruineux. Le soir, après la promenade, la reine et ses amis investissent le salon de la Paix, que la Cour n'appelle plus autrement que le salon de jeu.

« Il fallait être arrivé avant que sept heures n'eussent sonné, raconte Mme de La Tour du Pin, car la reine entrait avant que le timbre de la pendule ne frappât. Elle trouvait près de sa porte un des deux curés de Versailles qui lui remettait une bourse, et elle faisait la quête à chacun, hommes et femmes, en disant : "Pour les pauvres, s'il vous plaît". Les femmes avaient chacune leur écu de six francs dans la main et les hommes leur louis. La reine percevait ce petit impôt charitable, suivie du curé, qui rapportait souvent jusqu'à cent louis à ses pauvres, et jamais moins de cinquante. »

> « À défaut de spectacle,
> il y avait jeu jusqu'à neuf
> heures » Mercy

Derrière ces quêtes bon-enfant se cache cependant une réalité nettement moins édifiante. La Cour est un véritable tripot. Pour être admis au jeu de la reine, il suffit à tout homme bien mis « d'être nommé et présenté par un officier de la Cour à l'huissier du salon de jeu ». Des gens riches et de gros joueurs viennent spécialement de Paris.

À l'automne 1776, durant le séjour de Fontainebleau, la reine obtient du roi de faire venir pour un soir un banquier de Paris pour tailler un pharaon. Le 30 octobre, la partie commence. Elle se poursuit durant toute la nuit et la matinée. À cinq heures, la reine se retire : elle n'a perdu que quatre-vingt-dix louis. Le 31, le jeu reprend au soir. Marie-Antoinette va se coucher à trois heures, « mais on taille fort avant dans la matinée de la Toussaint ». Le roi fait grise mine. Marie-Antoinette lui rappelle en plaisantant qu'il a permis une séance de jeu, sans en déterminer la durée. Aussi a-t-on été en droit de la prolonger pendant trente-six heures ! Louis XVI éclate de rire : « Allez, vous ne valez rien tant que vous êtes ! »

Le salon de la Paix, à Versailles.

Malheureusement, les « exceptions » vont se succéder. Dès le 11 novembre, une nouvelle partie est organisée. Avec constance, Marie-Antoinette va accumuler les dettes.

Sans dire mot, Louis XVI les réglera sur sa cassette personnelle. Le peuple n'en grondera pas moins contre « Madame Déficit ».

Le souper

Le souper a lieu à neuf heures. Le lundi et le samedi, le roi soupe chez la reine en présence des entrées de la Chambre. Le mardi et le jeudi, le souper se tient dans les cabinets « avec du monde en hommes et en femmes ». Le mercredi et le vendredi, l'on soupe chez Madame. Le dimanche, il faut à nouveau subir la corvée du grand-couvert.

Pour son dîner comme pour son souper, Marie-Antoinette « ne mang(e) habituellement que de la volaille rôtie ou bouillie et ne (boit) que de l'eau. Elle ne témoign(e) de goût particulier que pour son café du matin et une sorte de pain auquel elle (a) été accoutumée dans son enfance, à Vienne ».

Les soupers chez Madame sont les plus prisés. Séguret, secrétaire de la cassette et premier commis des petits appartements de Louis XVI, a décrit ces véritables moments d'intimité familiale : « Chacun portait son souper excepté le roi. Ainsi, on voyait étalés sur cette table le souper de la reine auquel elle touchait rarement, mais dont le roi profitait, le souper de Monsieur, le souper de Madame qui comportait des potages réputés, le souper de Madame la comtesse d'Artois, le souper de Madame Élisabeth ; et il n'était pas rare d'y voir figurer plusieurs plats de la même façon [...]. Aussitôt que le roi était arrivé, chacun prenait sa place ; tout le service se retirait et les portes se fermaient sur eux [...]. Personne n'entrait qui ne fût appelé par la petite sonnette placée près du roi. »

Le souper proprement dit ne dure guère plus d'une heure. Il se prolonge cependant bien au-delà : « Depuis dix heures, jusqu'à minuit, minuit et demi, même une heure, écrit Mercy, le temps était encore employé d'une façon variable, mais la reine le passait régulièrement jusqu'à onze heures et un quart avec la famille royale, après quoi Sa Majesté allait ou chez la princesse de Lamballe [surintendante de sa Maison], qui donnait à souper quatre fois par semaine, ou chez Mme la princesse de Guéménée [gouvernante des Enfants de France jusqu'en 1782]. »

En dehors de la famille royale et du premier cercle de Marie-Antoinette, personne n'assiste non plus aux soupers organisés dans les cabinets intérieurs de la reine. Aussi, le ressentiment de la Cour envers la souveraine est-il à la hauteur des calomnies que cela suscite.

« Après quoi
succédait le
souper,
dimanche au
grand-couvert »
Mercy

*La comtesse
de Provence
(1753-1810)*

Les bals de la reine

Durant les premières années du règne, on se presse de l'Europe entière afin d'assister aux bals de la reine. Ainsi, « à douze cents lieues de Versailles, dans la neige, en pleine guerre contre les Turcs », le prince de Ligne soupire-t-il un soir d'hiver : « Les bals de la reine commencent peut-être aujourd'hui ! »

Jusqu'en 1787, année de leur suppression, « du commencement de l'année jusqu'au Carême », le roi offre une à deux fois par semaine un bal à son épouse. Celui du lundi est toujours costumé. La reine fait elle-même les invitations. Seules les femmes présentées y sont admises, mais « les étrangères de passage à Paris » sont dispensées de cette formalité. On danse dans les grands appartements – le plus souvent dans l'antichambre de la reine, parfois dans le salon d'Hercule – ou dans l'ancienne salle de comédie du rez-de-chaussée. L'intendant des Menus plaisirs fait aménager par les tapissiers de la Couronne le lieu choisi par Marie-Antoinette.

« On dit qu'elle ne danse pas en mesure, mais alors c'est la mesure qui a tort » Walpole

Dans les intervalles de la danse, on présente aux convives « des corbeilles de pêches, d'oranges mandarines hors de saison, des biscuits, des glaces, du vin et de l'eau ». Le « souper d'après-bal » est servi à minuit dans l'ancienne salle de comédie, où des tables de douze

Les fêtes à Versailles : bal paré à l'époque du mariage de Marie-Antoinette. Estampe d'après un dessin d'Augustin de Saint-Aubin (1736-1807).

couverts sont dressées. Comme les bals, ces *médianoches* sont donnés par le roi en l'honneur de la reine.

« La famille royale soupait souvent au bal, se souvient le comte d'Hézecques, le roi n'y arrivait qu'après avoir soupé à neuf heures, dans ses appartements. Il y restait jusqu'à une heure, et allait se coucher, après avoir fait un trictrac dans un petit salon destiné à ce jeu. Rarement s'exposait-il à perdre plus de deux ou trois louis dans la soirée [...]. Il se retirait de bonne heure parce qu'il savait qu'une fois parti le bal s'égaierait et s'animerait davantage. »

Le roi parti, l'Étiquette se fait moins pesante. « Le menuet classique » cède la place aux danses nouvelles. La reine circule parmi les groupes. Bien qu'elle ait cessé de danser depuis la naissance de ses enfants, Marie-Antoinette s'autorise une contredanse ou une « colonne anglaise » (farandole). Même la sage Madame Élisabeth se laisse tenter par ces « dernières heures du bal, les plus vivantes et les plus joyeuses ».

Les spectacles et les bals à Paris

À Versailles, dès 1777, les bals de la Cour sont passés de mode. « Les femmes de Paris appelées aux bals de la Reine arrivent à Versailles pour y rester en grand habit jusqu'à dix heures ou dix heures et demie du soir, et revenir ensuite pendant la nuit chercher leur souper à Paris. » Les dames de la Cour piaffent pareillement d'impatience. Les distractions de la capitale sont tellement plus amusantes !

Durant la première moitié du règne, Marie-Antoinette « vient sans cesse à Paris, le soir, pour un chanteur ou pour une pièce ». Par sa présence, elle défend les opéras de Gluck, qu'elle a fait venir de Vienne, et plus tard ceux de Puccini et de Sacchini. Mais plus encore que les spectacles, les bals, exclusivement masqués, attirent la reine dans la capitale. Louis XVI ne l'y a accompagné qu'une seule fois : s'étant copieusement ennuyé, il n'a trouvé d'aimables « que les pierrots et les arlequins », sujet sur lequel la famille royale le taquine souvent.

Mme Campan raconte : « Pendant l'hiver, les bals de l'Opéra faisaient passer beaucoup de nuits à la reine ; elle s'y rendait avec une seule dame du palais et y retrouvait toujours Monsieur et M. le comte d'Artois ; ses gens cachaient leurs livrées sous des redingotes de draps gris. Elle croyait

23 janvier 1782. Bal masqué donné en l'honneur et en présence du roi et de la reine, à l'hôtel de ville de Paris, à l'occasion de la naissance du Dauphin.

« C'est moi en fiacre, n'est-ce pas plaisant ? »

n'être jamais reconnue et l'était par toute l'assemblée, dès le moment où elle entrait dans la salle [...]. Un événement, fort simple en lui-même, attira des soupçons fâcheux sur la conduite de la reine. Elle partit un soir avec la duchesse de Luynes, dame du palais : sa voiture cassa à l'entrée de Paris ; il fallut descendre ; la duchesse la fit entrer dans une boutique, tandis qu'un valet-de-pied fit avancer un fiacre. On était masqué, et en sachant garder le silence l'événement n'aurait pas même été connu, mais aller en fiacre est pour une reine une aventure si bizarre qu'à peine entrée dans la salle de l'Opéra, elle ne put s'empêcher de dire à quelques personnes qu'elle rencontra : "C'est moi en fiacre, n'est-ce pas plaisant ?" »

Son impopularité croissante obligera la reine à renoncer aux spectacles comme aux bals. Viendra alors le temps de Trianon.

Le coucher

Au début du règne, Louis XVI partage tous les soirs le lit de son épouse. À onze heures, il procède, dans sa chambre de parade, à son coucher et à son petit coucher, puis il se relève. Suivi de son premier valet de chambre et d'un garçon, il gagne l'appartement de la reine par le couloir secret. Le cortège pénètre dans la chambre par la porte située à la gauche du lit.

Un fauteuil destiné au roi a été placé « dans l'intérieur de la balustrade ». Le premier valet de chambre y dépose l'épée courte du souverain, « à portée de sa main ». L'Étiquette stipule : « Le soir, la reine (est) couchée avant le roi ; la première femme (reste) assise au pied de son lit jusqu'à l'arrivée de Sa Majesté, pour reconduire, comme le matin, le service du roi, et mettre le verrou après leur sortie. »

« Alors le roi commença à coucher chez lui »

Dans les faits, à son arrivée, Louis XVI trouve bien souvent un lit vide : « Le roi se couchait tous les soirs à onze heures précises, raconte Mme Campan, il était très méthodique et rien ne dérangeait ses habitudes. Il n'avait pas encore une fois cessé de venir partager le lit nuptial ; mais le bruit que faisait involontairement la reine quand elle rentrait fort tard des soirées qu'elle passait chez la princesse de Guéménée ou chez le duc de Duras finit par importuner le roi ; sans humeur, il fut convenu que la reine le préviendrait des jours où elle voulait veiller : alors le roi commença à coucher chez lui, ce qui n'était jamais arrivé depuis l'époque du mariage. »

Pour Marie-Antoinette, l'accomplissement du devoir conjugal est « une épreuve qu'elle a résolu d'éviter le plus souvent possible ». Contrairement à ce que tente de faire croire une légende solidement établie, cette « froide vestale du Danube » ne s'étourdit pas dans un tourbillon de divertissements pour pallier sa frustration. Bien au contraire ! Bals et spectacles, tant à la ville qu'à la Cour, jeu poussé fort avant dans la nuit, comme les séjours à Trianon, sont autant d'agréables prétextes, pour la frigide souveraine, de fuir les assauts, au demeurant fort tièdes, de son débonnaire époux. Après la naissance de sa dernière fille – en juillet 1786 – la reine, « estimant avoir satisfait à ses devoirs et ne voulant plus tomber enceinte une nouvelle fois », fermera définitivement sa porte au « pauvre homme ».

*Lit de Marie-Antoinette
à Fontainebleau.*

4 La famille

Au sein de la famille royale, les affinités

se lient et se délient. Un époux affectueux

mais qu'elle juge ennuyeux, des tantes sévères

et dévotes, un beau-frère ambitieux…

C'est auprès de ses enfants que Marie-Antoinette

trouve la force d'assumer la charge

qui lui incombe.

« Le pauvre homme » (Louis XVI)

Depuis le début de leur mariage, Louis est subjugué par son épouse. Sincèrement épris, il lui passe tous ses caprices et règle sans sourciller ses plus extravagantes dépenses. Il la tient en revanche soigneusement éloignée des affaires du royaume. À sa façon, Marie-Antoinette lui est sincèrement attachée. Mais Dieu que Louis est sérieux... donc ennuyeux !

À Versailles, il est du dernier bourgeois d'aimer son conjoint, plus encore de le montrer. Aussi, pour ne pas ressembler aux « siècles » et aux « collets montés », la reine suit-elle le mouvement. Pour des raisons de protocole, le roi se couche toujours à la même heure. Un soir, afin de l'inciter à se retirer plus tôt, quelqu'un avance la pendule. Marie-Antoinette rit de bon cœur de cette innocente plaisanterie. Avec Louis, elle adopte volontiers un ton protecteur un peu condescendant. Parfois, en privé, elle s'oublie à parler de lui en l'appelant affectueusement « le pauvre homme ». Mais ce « pauvre homme » est le roi de France ! Lorsque cela se sait, l'indignation et les commentaires vont bon train...

Jusqu'au printemps 1775, le roi partage régulièrement le lit de son épouse. Mais son inexpérience et le peu de tempérament de la reine font qu'ils ne parviennent pas à consommer leur union. Marie-Antoinette est parvenue à le persuader que tout vient de lui. En avril 1777, lors d'une visite à Versailles, Joseph II morigène sa sœur et lui remet « une longue Instruction récapitulant ses devoirs d'épouse et de reine ». Il perce aussi le « secret du mariage de France » : le roi « introduit le membre, reste là sans se remuer, deux minutes peut-être, se retire sans jamais décharger, toujours bandant, et souhaite le bonsoir [...] ; et il est content, disant tout bonnement qu'il ne faisait cela que par devoir et qu'il n'y avait aucun goût ». La reine « a peu de tempérament et ils sont deux francs maladroits ensemble ».

Joseph II use d'un habile subterfuge : afin de désinhiber son beau-frère et de l'affranchir de toute culpabilité, il le persuade que tout sera réglé par un simple coup de bistouri (débridement du frein). Quand à la reine, il lui sert une mercuriale bien sentie. La leçon de l'Empereur porte ses fruits : le 18 août 1777, le mariage est enfin consommé. Mais « jamais Louis XVI et Marie-Antoinette ne devaient être un couple d'amants ».

Louis XVI en costume du sacre, par Joseph Siffred Duplessis (1725-1802).

« Ils sont deux francs maladroits ensemble » Joseph II

Les enfants royaux

Les femmes de la Maison de Habsbourg ont toujours été considérées comme particulièrement fécondes. Marie-Antoinette ne déroge pas à la tradition. Son mariage enfin consommé, les naissances se succèdent : Marie-Thérèse, dite Madame Royale, le 19 décembre 1778, un Dauphin, Louis-Joseph, le 22 octobre 1781, puis, après une fausse couche, le 1er novembre 1783, un second fils, Louis-Charles, duc de Normandie, le 27 mars 1785, et enfin Sophie, le 9 juillet 1786.

La reine entend élever ses enfants auprès d'elle. Et non les reléguer dans l'appartement des Enfants de France, au bout de l'aile du Midi (aussi appelée aile des Princes), comme cela s'est toujours fait. Lorsqu'elle ne se rend pas chez eux, elle les fait conduire dans ses appartements. « Marie-Antoinette s'occupe elle-même de l'éducation de sa fille ; elle assiste tous les matins aux leçons de ses maîtres, et est très sévère pour ses petits défauts. »

Dans tout cela, il y a beaucoup de sentiments vrais, mais aussi une part de posture ! Là encore, la reine suit la mode : depuis la publication de L'Émile (1762), il est du meilleur ton d'élever ses enfants soi-même. Rapporté par le marquis de Bombelles, un mot d'enfant de Madame Royale est particulièrement révélateur : « Non, je ne l'aime pas [la reine], parce qu'elle me gêne et ne fait pas attention à moi. Par exemple,

quand elle me mène chez ses tantes, elle marche dare-dare en avant et ne regarde pas seulement si je la suis. Au lieu que mon papa me conduit par la main et s'occupe de moi. »

En 1784, Mme Vigée Le Brun peint le double portrait de Madame Royale et du Dauphin. En 1787, Marie-Antoinette pose avec ses quatre enfants. Avant que la toile soit achevée, un drame intervient : le 19 juin 1787, Madame Sophie rend sa jeune âme à Dieu. Pour la reine, le choc est terrible. Sur le tableau, le berceau reste vide. Pour l'éternité.

Le temps des deuils ne fait cependant que commencer. Rongé par la tuberculose, Louis-Joseph s'éteindra le 4 juin 1789, en pleine révolte des États généraux. Affaibli par la malnutrition et les mauvais traitements, Louis-Charles succombera dans sa prison du Temple le 8 juin 1795. Seule Madame Royale survivra à l'effroyable hécatombe.

« Prenez-le, il est à l'État ; mais je reprends
ma fille » Marie-Antoinette au roi, lors de
la naissance du Dauphin

1787.
Marie-Antoinette
et ses enfants,
par Élisabeth
Vigée-Le Brun
(1755-1842).

Monsieur et Madame

« Les mariages successifs du comte de Provence et du comte d'Artois avec deux filles du roi de Sardaigne augmentèrent à Versailles le nombre des princesses de l'âge de Marie-Antoinette [...]. Dès ce moment, la plus grande intimité s'établit entre les trois jeunes ménages. Ils firent réunir leurs repas et ne mangèrent séparément que les jours où leurs dîners étaient publics. »

Derrière l'attendrissant tableau familial dressé par Mme Campan, se cache une réalité beaucoup moins suave ! Monsieur et Madame forment un étrange ménage. Leur union n'a jamais été consommée. Ce dont ni l'un ni l'autre ne trouve à se plaindre. En public, Monsieur se montre volontiers galant avec les dames ; il entretient même une favorite de façade, Mme de Balbi. Tout cela n'a pour but que de servir de paravent à ses chastes, mais néanmoins passionnées, amours pour les jolis garçons. Pour l'heure, il en fait ses officiers. Devenu roi, il élèvera ses favoris au rang de ministre. De son côté, dans le secret de ses appartements, Madame voue un culte appliqué à Lesbos et à Bacchus. Au fil du temps, l'hommasse – et moustachue ! – princesse finira par dépendre totalement de ses liqueurs fortes et de sa lectrice et amante Marguerite Gourbillon.

Partageant un goût immodéré pour l'intrigue, Monsieur et Madame sont les meilleurs alliés du monde, lorsqu'il s'agit de comploter contre Louis XVI, à qui ils ne pardonnent pas d'être l'aîné, et contre Marie-Antoinette. Ayant longtemps espéré succéder à son frère, Monsieur enrage de voir la reine soudain multiplier les naissances. En 1785, il fait répandre les bruits les plus infâmes sur la légitimité du duc de Normandie. Fin 1786, les insinuations et les manœuvres redoublent lorsque, à Versailles, les Provence doivent céder au Dauphin leur appartement situé au rez-de-chaussée du corps central et emménager dans l'aile des Princes. Par son opposition sourde et systématique, Monsieur portera une responsabilité écrasante dans le déclenchement de la Révolution.

Louis XVI n'est pas dupe des menées de son frère. Aussi, se garde-t-il de lui faire la moindre confidence. Un jour, sur le petit théâtre de la reine, Monsieur incarne le rôle titre de Tartuffe. Le roi s'exclame : « Cela a été rendu à merveille ; les personnages y étaient dans leur naturel ! »

« Caïn... Caïn... Caïn.
Voulez-vous voir périr
votre famille entière ? »
Marie-Antoinette
au comte de Provence
lors du Conseil du
15 juillet 1789

*Louis-Stanislas-Xavier
de France (1755-1824),
comte de Provence,
par François-Hubert
Drouais (1727-1775).*

A la Cour, les dames
surnomment le
comte d'Artois
Galaor, du
nom du
héros
d'Amadis
de Gaule
(roman chevale-
resque espagnol publié
en France en 1540, mis
en musique par Lully
en 1684)

*Portrait en buste
de Charles-Philippe
de France (1757-1836),
comte d'Artois. École française,
variante d'après son portrait
en pied par Antoine-François
Callet (1741-1823).*

Le comte et la comtesse d'Artois

« M. le comte d'Artois est le prince le plus aimable du monde. Il a infiniment d'esprit, non dans le genre de M. le comte de Provence, c'est-à-dire sérieux et savant, mais le véritable esprit français, l'esprit de saillie et d'à-propos » (Mme d'Oberkirch).

« Malgré une bouche ronde toujours ouverte, qui lui donne l'air un peu niais », le comte d'Artois fait figure de prince idéal. Ses manières sont celles d'un grand seigneur, son aisance celle du redoutable séducteur qu'il est. Marie-Antoinette a trouvé en lui l'ami rêvé : drôle et superficiel, aimant la parure et les colifichets, Artois ne manque jamais ni de faire ni de dire une bêtise. Pour la conduire secrètement au bal, à Paris, il n'est de meilleur cavalier ; pour lui donner la réplique sur son petit théâtre, il n'est de partenaire plus charmant. De plus compromettant aussi ! En l'entraînant dans un tourbillon de dépenses et de plaisirs, Artois pousse toujours plus avant sa belle-sœur dans ses extravagances. Tout cela est bon-enfant, mais la Cour gronde. La ville aussi.

Collectionnant les maîtresses, le beau prince ne se soucie guère de son épouse légitime. « Madame la comtesse d'Artois , raconte Mme de Boigne , était encore beaucoup plus laide [que sa sœur] et parfaitement sotte, maussade et disgracieuse. C'est auprès des gardes du corps qu'elle allait chercher des consolations des légèretés de son mari. Une grossesse qui parut un peu suspecte, et dont le résultat fut une fille qui mourut en bas âge, décida monsieur le comte d'Artois à ne plus donner prétexte à l'augmentation de sa famille, déjà composée de deux princes.

« Malgré cette précaution, une nouvelle grossesse de madame la comtesse d'Artois la força de faire sa confidence à la Reine, pour qu'elle sollicitât l'indulgence du Roi et du prince. La Reine, fort agitée de cette commission, fit venir le comte d'Artois, s'enferma avec lui, et commença avec une grande circonlocution avant d'arriver au fait. Son beau-frère était debout devant elle, son chapeau à la main. Quand il sut ce dont il s'agissait, il le jeta par terre, mit ses deux poings sur ses hanches pour rire plus à son aise, en s'écriant : "Ah ! le pauvre homme, le pauvre homme, que je le plains ; il est assez puni." »

Madame Élisabeth

Lorsque Marie-Antoinette arrive en France, Madame Élisabeth vient de fêter ses six ans. Elle n'a guère l'occasion de s'intéresser à la jeune princesse avant 1778, année où Louis XVI lui constitue une Maison et où celle-ci commence à tenir sa cour. Bien que très différentes de caractère, les deux jeunes femmes se plaisent immédiatement.

Confidente de la princesse, Mme de Bombelles écrit le 22 avril 1779 : « Madame Élisabeth est revenue hier de Trianon. La Reine est enchantée ; elle dit à tout le monde qu'il n'y a rien de si aimable, qu'elle ne la connaissait pas encore bien, mais qu'elle en avait fait son amie et que ce serait pour la vie. »

« Babet est un perpétuel printemps » Comte d'Artois

Douce et un peu ennuyeuse, Madame Élisabeth aime « la musique, la peinture, l'équitation ». Elle possède aussi de solides connaissances en mathématiques. Jamais elle ne médit. Très pieuse, elle souhaite entrer en religion, mais son frère s'y oppose. Il accède en revanche à son désir de ne pas se marier. Les relations entre Marie-Antoinette et « Babet » vont bien au-delà de leur simple lien familial : plus que belles-sœurs, plus qu'amies, ce sont deux sœurs.

En juillet 1789, Élisabeth refuse de quitter la France avec les Artois. Pareillement en février 1791, lorsque Mesdames – seules Adélaïde et Victoire sont encore en vie – partent pour Rome. Jusqu'au bout, elle restera au côté de son frère et de sa belle-sœur.

Le 20 juin 1792, la foule insurgée envahit les Tuileries. Les émeutiers cherchent la reine. Madame Élisabeth se tient auprès de son frère. Ils croient reconnaître Marie-Antoinette. À un garde qui cherche à les détromper, elle souffle : « Ne les désabusez pas, s'ils pouvaient me prendre pour la Reine, on aurait le temps de la sauver. »

Le 10 août, les Tuileries sont à nouveau prises d'assaut. Alors que la famille royale va se mettre sous la protection de l'Assemblée nationale. Louis XVI supplie sa sœur de s'enfuir :

— Élisabeth, vous n'êtes pas accusée ici : vous êtes libre.

Élisabeth de France (1764-1794), dite « Madame Élisabeth ». École française.

— Jamais, jamais. Ma place est auprès de vous dans la vie et dans la mort.

Au Temple, Madame Élisabeth se montre plus que jamais une véritable sœur pour Marie-Antoinette. La dernière lettre de la reine, « le 16 octobre à quatre heures et demie du matin », est pour sa belle-sœur : elle lui confie ses enfants. Madame Élisabeth la suivra sur l'échafaud le 10 mai 1794.

Mesdames Tantes

Depuis qu'en 1770 Louise s'est faite carmélite, Mesdames ne sont plus que trois à la Cour : Adélaïde, Victoire et Sophie. Tout ce que la Cour compte de dévot et de rassis constitue l'entourage de ces vieilles filles revêches, dont l'aînée n'a pourtant pas quarante ans lorsque Marie-Antoinette arrive en France.

Lectrice de Mesdames avant de passer au service de la Dauphine, Mme Campan en a laissé un célèbre portrait : « Madame Adélaïde avait eu un moment une figure charmante ; mais jamais beauté n'a si promptement disparu que la sienne. Madame Victoire était belle et gracieuse ; son accueil, son regard, son sourire étaient parfaitement d'accord avec la bonté de son âme. Madame Sophie était d'une rare laideur ; je n'ai jamais vu personne avoir l'air si effarouché ; elle marchait d'une vitesse extrême, et pour reconnaître, sans les regarder, les gens qui se rassemblaient sur son passage, elle avait pris l'habitude de voir de côté, à la manière des lièvres. »

À Versailles, la journée de Mesdames est toujours la même : le matin, après avoir entendu la messe « chacune de leur côté », elles se réunissent chez l'une ou chez l'autre. L'heure venue, elles dînent en tête-à-tête. À six heures, le jeu de Mesdames se tient chez Madame Adélaïde. C'est lors de cette innocente partie de loto, « qu'on leur fait sa cour ». À neuf heures, elles vont souper chez Madame. Puis elles vont se coucher. Afin d'occuper ces interminables journées, Mesdames font de la musique et s'empiffrent en cachette. Toujours à l'affût du

Madame Adélaïde (1732-1800).

« Mais, mon Dieu, s'ils pouvaient se résigner à manger de la croûte de pâté ! »

moindre ragot, elles complotent du matin au soir. En vain ! Car si elles ont l'affection de leur neveu le roi, leur pouvoir à la Cour est absolument nul.

D'une bêtise confondante, « Madame Victoire avait fort peu d'esprit et une extrême bonté. C'est elle, raconte Mme de Boigne, qui disait, les larmes aux yeux, dans un temps de disette où on parlait des souffrances des malheureux manquant de pain : "Mais, mon Dieu, s'ils pouvaient se résigner à manger de la croûte de pâté ! " » À sa décharge, ladite croûte pesait fâcheusement sur l'estomac de la malheureuse princesse. Elle devait peser encore plus lourd sur l'Histoire. De ce mot naïf allait naître le célèbre « Qu'on leur donne de la brioche ! », prêté à tort et à charge à Marie-Antoinette.

Madame Victoire (1733-1799).

Madame Sophie (1734-1782).

5 L'entourage

Pour échapper à l'Étiquette et à l'ennui,

Marie-Antoinette s'entoure d'amies

de cœur, auprès d'elles et de

ses « chevaliers servants », la reine goûte

les plaisirs d'une existence frivole.

Autour de Versailles, le peuple gronde,

agacé par la légèreté de la reine.

Marie-Antoinette feint de ne pas l'entendre.

Les favorites :
« les caquetages d'amitié »

La princesse de Lamballe (1749-1792).
Atelier d'Antoine-François Callet (1741-1823).

Marie-Antoinette cultive volontiers les amitiés féminines. « Elle s'attache ainsi à quelques confidentes auxquelles elle témoigne de grandes démonstrations d'affection ». Dames du palais, la princesse de Chimay puis la comtesse Dillon sont ses premières amies de cœur. Mais cela reste au niveau du simple « caquetage d'amitié ». Mmes de Lamballe et de Polignac sont en revanche élevées au rang de « favorites ».

Timide et souffreteuse, la princesse Marie Thérèse de Lamballe appartient presque à la famille royale. Née princesse de Savoie-Carignan, cette jeune veuve est la belle-fille du duc de Penthièvre, petit-fils de Louis XIV et de Mme de Montespan. Sa belle-sœur a épousé le duc de Chartres (duc d'Orléans à partir de 1785). Pour son amie, Marie-Antoinette fait rétablir la charge tombée en désuétude de « surintendante de la Maison de la reine ». Mais à force de migraines et de jérémiades, Marie-Thérèse finit par la lasser. Restée très attachée à la souveraine, Mme de Lamballe, parviendra à gagner l'Angleterre en juin 1791, mais elle reviendra en France afin de partager la captivité de son amie. Elle sera sauvagement assassinée lors des massacres de septembre 1792 : après l'avoir dépecée, la foule avinée ira promener sa tête sous les fenêtres de la reine.

> « Mille écus à la famille d'Assas pour avoir sauvé l'État !
> Un million à la famille de Polignac pour l'avoir perdu ! »
> Mirabeau

La faveur de la comtesse Jules de Polignac débute durant l'été 1775. Née Yolande de Polastron, cette magnifique jeune femme cultive pour la reine une amitié sincère et désintéressée. Malheureusement, elle est dotée d'une insatiable famille. « Tous ces quémandeurs, prodigieusement avides et couverts de dettes, gémissant de leurs détresses, entou(rent) la favorite tel un essaim de mouches. » Grades dans l'armée, hautes fonctions, charges à la Cour, pensions, et même titres – l'époux de Yolande est fait duc héréditaire en septembre 1780 – rien n'est suffisant pour cette nuée de parasites. Avec application,

La duchesse de Polignac (1749-1793). Portrait « au chapeau de paille » peint par Élisabeth Vigée-Le Brun en 1782.

les Polignac ruinent le royaume et la réputation de la reine. Dans la nuit du 16 juillet 1789, tout ce joli monde prendra la poudre d'escampette et partira pour l'étranger, non sans avoir pris soin d'y faire transférer une part importante du fruit de ses rapines.

Les chevaliers servants :
les « entours »

Sans penser à mal, la reine s'est constitué un cénacle masculin tout à sa dévotion. « Autour de Marie-Antoinette, écrit Jean-Christian Petitfils, papillonn(e) un cercle de flatteurs, d'aimables courtisans, élégants et bien tournés, de petits maîtres débiteurs de balivernes, qui ne (sont) pas tous, tant s'en faut, des modèles de vertu. »

Parmi les sigisbées de la reine, le comte d'Artois, « dont l'élégante séduction est comparable à celle de son aïeul Louis XV, mais dont la conduite publique est plus scandaleuse », occupe le premier rang. Viennent ensuite le baron de Besenval et le comte de Vaudreuil. Il y a également là le duc de Coigny, son fils le marquis et leur parent, le chevalier, le duc de Guines, le comte d'Adhémar, le comte Édouard Dillon, le bailli de Crussol, le comte d'Avaray, le duc de Dorset, le comte Valentin Esterhazy, le prince de Ligne, le comte de Noailles, le chevalier de Lille, le marquis de Conflans... Et bien sûr le duc de Polignac, son gendre Guiche et son beau-frère Polastron.

Marie-Antoinette considère ses chevaliers-servants comme autant d'amuseurs. Mais les jalousies et les médisances s'exacerbent. Le moindre fait est monté en épingle. « Céladon défraîchi », Besenval fait une cour discrète à la reine, « malgré ses cinquante ans et ses chevaux blanchis ». Plus entreprenant, le duc de Lauzun a tenté un jour d'embrasser la reine. Éconduit sur le champ, il est depuis lors l'un de ses ennemis les plus acharnés.

En mars 1779, Marie-Antoinette contracte la rougeole. Afin de ne pas contaminer son époux, elle se retire trois semaines à Trianon. Coigny, Guines, Esterhazy et Besenval obtiennent la permission de l'y accompagner. « Le roi, rapporte Mercy, y pensa le premier et consentit à ce que les quatre personnages susdits restassent comme gardes-malade auprès de son auguste épouse. Dès ce moment, ils s'emparèrent de la chambre de la reine, et depuis sept heures du matin jusqu'à onze heures du soir ils n'en sortirent que pour le temps des repas. Madame, M. le comte d'Artois et la princesse de Lamballe restaient aussi presque tout le temps chez la reine. » Et la Cour de se gausser en se demandant quelles seraient les quatre femmes que le roi appellerait près de lui s'il tombait malade.

« Tous les courtisans non admis dans cette intimité devinrent autant d'ennemis jaloux et vindicatifs »
Mme Campan

Le comte de Vaudreuil (1740-1817).

Fersen

Le 30 janvier 1774, à l'occasion du carnaval, Marie-Antoinette se rend au bal de l'Opéra. Dans la foule, elle reconnaît un étranger qui lui a été présenté le 19 novembre et qu'elle a revu à deux de ses bals du lundi. Le jeune comte de Fersen note : « La Dauphine me parla longtemps sans que je la connus ; enfin, quand elle fut connue, tout le monde s'empressa autour d'elle et [elle] se retira dans une loge. »

Né le 4 septembre 1755, Axel de Fersen est le fils « d'un très riche et très respecté seigneur suédois, sénateur et feld-maréchal de Gustave III ». Son père l'a envoyé en France parfaire son éducation. Beauté froide et nordique, il multiplie les conquêtes féminines.

En mai 1774, Fersen quitte la France. Pour quatre ans. Le 25 août 1778, il est à nouveau présenté à Marie-Antoinette. À sa plus grande surprise, elle ne l'a pas oublié et s'exclame : « Ah ! C'est une ancienne connaissance ! » Rapidement, Axel devient un habitué du cercle de la reine. Une idylle naît. L'éloignement ne l'émousse pas. En juin 1783, Fersen rentre d'Amérique, où il s'est battu durant trois ans, et se fixe à Versailles, comme colonel du régiment Royal-Suédois. La bluette se transforme alors en passion.

Axel et Marie-Antoinette furent-ils amants ? Tout s'oppose à cette théorie. « Marie-Antoinette n'était pas une grande sensuelle. Elle avait des principes moraux et religieux. » De plus, elle n'aurait pas couru le risque d'une grossesse illégitime : pour elle, cela aurait signifié l'enfermement à vie ; pour Axel, le supplice et la mort. « Sans être un preux chevalier de la Table ronde, Fersen (était) trop respectueux de la reine, de la fonction qu'elle représentait, trop attaché à la majesté des personnes royales pour oser la toucher. » Enfin, Louis XVI, parfaitement au courant des médisances de la Cour et des libelles, n'avait rien d'un époux complaisant. Jamais il n'aurait accepté que Fersen organisât le « voyage de Varennes », s'il avait eu le moindre doute sur la relation qu'entretenaient la reine et le comte.

Axel ne se mariera pas. Comme son aimée, il connaîtra une fin tragique : le 20 juin 1810, jour anniversaire de Varennes, soupçonné à tort d'avoir empoisonné ce prince fort populaire, il sera lynché par la foule, à Stockholm, lors des funérailles du prince héritier Christian-Auguste de Suède.

C'était « une âme
brûlante sous
une écorce de glace »
Mme de Korff

*Axel, comte de Fersen
(1755-1810),
par Lorens Pasch
« le Jeune » (1733-1805).*

Mme Vigée Le Brun

Marie-Antoinette ne s'intéresse pas à la peinture. Elle ne voit dans un portrait « que le seul mérite de sa ressemblance ». Lorsqu'elle se rend au Louvre ou au Salon, elle jette un rapide coup d'œil sur les « petits tableaux de genre » et elle ignore les grandes compositions. David lui vouera pour cela un ressentiment féroce !

1783. Marie-Antoinette à la rose, par Élisabeth Vigée-Le Brun.

Élisabeth Vigée Le Brun (1755-1842) tient une place à part dans l'existence de Marie-Antoinette. Née la même année que la reine, elle n'est pas seulement son peintre attitré : elle est aussi l'une des rares personnes étrangères à la Cour, si ce n'est la seule, avec qui elle entretienne des liens d'affection. Les artistes agréés pour faire le portrait de la reine travaillent en général dans son grand cabinet intérieur, parfois dans sa chambre ; seule Mme Vigée Le Brun se rend à Trianon.

Avec émotion, Élisabeth se souvient : « C'est en 1779 [en réalité 1778], que j'ai fait pour la première fois le portrait de la reine, alors dans tout l'éclat de sa jeunesse et de sa beauté. Marie-Antoinette était

*1789.
Élisabeth
Vigée-Le Brun
(1755-1842)
et sa fille Julie
(1780-1819).*

femmes s'est développée : « La timidité que m'avait inspirée le premier aspect de la reine avait entièrement cédé à cette gracieuse bonté qu'elle me témoignait toujours. Dès que Sa Majesté eut entendu dire que j'avais une jolie voix, elle me donnait peu de séances sans me faire chanter avec elle plusieurs duos de Grétry, car elle aimait infiniment la musique, quoique sa voix ne fût pas d'une grande justesse. Quant à son entretien, il me serait difficile d'en peindre toute la grâce, toute la bienveillance ;

grande, admirablement bien faite, assez grosse sans l'être trop. Ses bras étaient superbes, ses mains petites, parfaites de forme, et ses pieds charmants. Elle était la femme de France qui marchait le mieux ; portant la tête fort élevée, avec une majesté qui faisait reconnaître la souveraine au milieu de toute sa Cour, sans pour autant que cette majesté nuisît en rien à tout ce que son aspect avait de doux et de bien-veillant. »

Au fil des années et des séances de pause, la complicité entre les deux

« Si je n'étais pas reine,

on dirait que j'ai l'air insolent,

n'est-il pas vrai ? »

Marie-Antoinette à

Mme Vigée Le Brun

je ne crois pas que la reine Marie-Antoinette n'ait jamais manqué une occasion de dire une chose agréable à ceux qui avaient l'honneur de l'ap-procher, et la bonté qu'elle m'a toujours témoignée est un de mes plus doux souvenirs. »

6 Les lieux

Depuis Louis XIV, Versailles est la demeure de la famille royale. Marie-Antoinette s'installe dès son arrivée en France. Mais elle ne se sent réellement chez elle qu'au petit Trianon que Louis XVI lui offre en 1774.

Là, elle donne libre cours à son imagination et à ses envies.

Versailles :
Les grands appartements

« Au bout de la Grande Galerie, à Versailles, s'ouvre le salon de la Paix [...]. Trois fenêtres s'ouvrent sur le parterre d'eau, trois autres sur la terrasse de l'Orangerie, derrière les balustres de laquelle la pièce d'eau des Suisses reflète les bois. Cet horizon, écrit Pierre de Nolhac, est celui des grands appartements de la Reine. Nous sommes chez Marie-Antoinette. »

Le salon de la Paix est un prolongement de la Grande Galerie. Une porte mobile et une tenture que l'on ôte les jours de grandes réceptions, l'en séparent. Il accueille les concerts et surtout le jeu de la reine. Aussi est-il également appelé salon de jeu.

« Marie-Antoinette qui ne portait aucun respect à l'art de Louis XIV, eût souhaité que l'on "culbutât" tout le décor intérieur de Versailles comme celui des jardins »

Pierre de Nolhac

De ce salon, on pénètre dans la chambre de la reine. Depuis Louis XIV, reines et dauphines s'y sont succédé. Lorsque Marie-Antoinette prend possession des lieux en 1770, le décor de la reine Marie-Thérèse a entièrement disparu pour laisser la place à celui conçu pour Marie Leszcinska de 1730 à 1735. Hormis la cheminée en griotte qu'elle fait installer en 1786, elle y apporte peu de modifications. C'est dans cette pièce, où l'on a dressé pour l'occasion un lit face à la cheminée, qu'elle donne naissance à ses quatre enfants. Le « meuble » d'hiver est un brocart cramoisi à fleurs d'or ; celui d'été est « en gros de Tours fond blanc broché de bouquets de fleurs de lilas, rose et autres, avec rubans qui entrelacent des queues de paons du plus grand effet, le tout encadré de superbes bordures fond vert et garnie de riches franges ». Livrée en 1787, cette tenture a été entièrement reconstituée par les soyeux

Salle des gardes, Versailles.

lyonnais. Elle orne de nouveau la chambre de la reine depuis 1975.

Viennent ensuite trois salons en enfilade : le grand cabinet, également appelé salon des nobles, où se tient le grand-couvert sous le règne de Louis XVI lorsqu'il a lieu en famille (Marie-Antoinette fait entièrement réaménager cette pièce par Mique en 1785, Riesener réalisant les trois commodes et les deux encoignures) ; l'antichambre de la reine (également dite « du grand-couvert », cette cérémonie s'y tenant autrefois) ; et la salle des gardes de la reine.

Versailles : les cabinets intérieurs

Dissimulées sous les tapisseries de sa chambre, deux portes permettent d'accéder aux « cabinets intérieurs » de la reine. Située à la gauche du lit, la première, par le cabinet de toilette de la reine, permet de sortir sur l'Œil-de-bœuf et de gagner les appartements du roi. C'est ce chemin que la reine empruntera à l'aube du 6 octobre 1789, pour fuir les émeutiers.

La seconde porte, à la droite du lit, ouvre sur « le plus joli boudoir du château » : le cabinet de la méridienne (créé par Mique en 1781). « Un des pans contient une cheminée, deux autres, des portes de glaces sans tain (...). Entre les portes s'ouvrent une "niche de glaces "qui, de tous côtés, renvoie son image à la personne assise sur le sofa. » On pénètre ensuite dans une première puis une seconde bibliothèque. « Ouvrages rares et collections sérieuses » y côtoient « toutes les nouveautés du temps, reliées aux armes de la reine ». Mais ce ne sont qu'objets de décoration : « Hors quelques romans », Marie-Antoinette n'ouvre jamais un livre ! La reine se lavant le matin dans la baignoire roulée dans sa chambre, le cabinet des bains et sa chambre de repos, « juste assez large pour placer un lit », ne servent qu'exceptionnellement.

Marie-Antoinette passe le plus clair de son temps dans « la plus admirée et la plus importante de ces

> « Les cabinets de la Reine étaient l'asile de son intimité, et les femmes n'y laissaient pénétrer, lors des audiences, que quelques privilégiés dont elles avaient la liste »
>
> Pierre de Nolhac

pièces » : *le grand cabinet intérieur de la reine* (entièrement repris par Mique en 1783 ; appelé depuis lors *cabinet doré*). C'est là qu'elle donne ses audiences privées. C'est là, aussi, qu'elle a réuni ses objets favoris et les portraits de ses proches.

Dans les entresols du rez-de-chaussée, un espace est affecté à la garde-robe de la reine et à sa

garde-robe d'atours. Quelques cabinets servent de logement de service à la première femme de chambre (entresols supérieurs) et à la dame d'honneur (attiques). Dans les combles, une enfilade circulaire de pièces entoure la voûte du salon de la Paix. Des escaliers intérieurs relient les divers degrés. À l'étage des attiques, une bibliothèque a cédé la place en 1776 à une salle de billard. C'est également là que se trouve la salle à manger privée de la reine et un ensemble de petites pièces « totalement inconnues des courtisans ». Fersen y aurait logé quelque temps.

Cabinet de la méridienne
(créé par Richard Mique en 1781).

Petit appartement de la reine, à Versailles. Au mur : Marie-Thérèse Charlotte de France (1778-1851), dite « Madame Royale », et le dauphin Louis-Joseph (1781-1789), peints en 1784 par Élisabeth Vigée Le Brun.

Versailles : le Petit appartement

En 1782, à la mort de Madame Sophie, Marie-Antoinette prend possession de son logement. Situé au rez-de-chaussée, il s'étend de la cour de Marbre à la terrasse. Il comprend le vestibule situé sous la chambre de Louis XIV, les pièces en-dessous du cabinet du Conseil et la partie de la Galerie Basse y correspondant. De nombreux escaliers, des passages, des entresols desservent ce logis dès lors connu sous le nom de « Petit appartement de la reine ».

« La Reine trouvait
un coin de Versailles où
elle pouvait poursuivre
en toute liberté son jeu
de démolition et
d'arrangement
d'intérieurs nouveaux »

Pierre de Nolhac

Par les cabinets intérieurs, un escalier relie le Grand et le Petit appartement. Cette « suite de pièces ensoleillée sur le parterre d'Eau (est) séparée par un long couloir d'une bibliothèque et de salles de service sur la cour de Marbre ». À l'automne 1782, la reine y installe sa fille avec sa sous-gouvernante, Mme de Mackau. Lorsque, en octobre 1783, Madame Royale rejoint l'appartement des Enfants de France, Marie-Antoinette récupère la plus grande partie de l'espace jusque-là dévolu à celle-ci.

Le Petit appartement est pour Marie-Antoinette « l'occasion de travaux sans fin ». Elle y fait aménager « des salons charmants, une chambre à coucher, une bibliothèque, des bains ». Le plus souvent, la reine dort dans le lit de damas vert de sa nouvelle chambre, « assez spacieuse mais sobrement décorée ». À son réveil, elle regagne, au premier étage, le lit de sa chambre de parade où son lever comme son coucher continuent à se dérouler.

Depuis son mariage, en 1771, le comte de Provence occupe, au rez-de-chaussée du corps central, un vaste appartement, complété par une enfilade de pièces attribuées à son épouse. Traditionnellement dévolu à l'héritier présomptif de la Couronne, ce logement est contigu du Petit appartement de la reine. En octobre 1786, le Dauphin s'apprêtant à « passer aux hommes », le couple doit céder la place à Louis-Joseph et à son gouverneur. Il n'y a là rien d'anormal, mais les Provence en garderont un ressentiment profond envers la reine.

De juin à octobre 1789, le dauphin Charles-Louis sera le dernier occupant de cet appartement. Tout comme le Petit appartement de la reine, il sera préservé par la Révolution. Louis-Philippe les fera démolir en 1833 pour aménager son Musée.

Le Petit Trianon

Le 15 août 1774, jour de la Sainte Marie, Louis XVI fait un fabuleux cadeau à son épouse : le Petit Trianon. Construit pour Mme de Pompadour, occupé par Mme du Barry, ce « bâtiment carré, à cinq fenêtres de façade, à deux étages, couvert d'un toit en terrasse » ne paye pas de mine. Mais la reine exulte : la voilà enfin chez elle !

A Trianon, Marie-Antoinette donne libre cours à sa passion de la démolition. Elle fait refaire le décor : « Partout une tendre symphonie de tons pastels, du vert, du lilas, du bleu, du blanc, de l'or jaune ou de l'or vert. Elle command(e) des meubles, des consoles ou des chaises avec des motifs floraux et des épis de blé. » Mique crée un jardin anglo-chinois avec « des rochers, une grotte, un ruisseau paresseux, des vallonnements gazonnés bordés d'allées sinueuses,

un élégant belvédère de forme octogonale sur une butte dominant le lac, et, sur un îlot, un délicieux temple de l'Amour ». À l'emplacement de l'orangerie, la reine fait bâtir un théâtre.

Le roi est un visiteur assidu : il dîne, revient souvent souper, mais il ne couche jamais à Trianon. Madame Campan raconte : « La reine séjournait quelquefois un mois de suite au Petit Trianon et y avait établi tous les usages de la vie de château ; elle entrait dans son salon sans que le piano-forte ou les métiers de tapisserie fussent quittés par les dames, et les hommes ne suspendaient ni leur partie de billard, ni celle de trictrac. Il y avait peu de logements dans le petit château de Trianon. Madame Élisabeth y accompagnait la reine ; mais les dames d'honneur et les dames du palais n'y furent point établies : selon les invitations faites par la reine, on y arrivait de Versailles pour l'heure du dîner. Le roi et les princes y venaient régulièrement souper.

Le Petit Trianon à l'époque de Marie-Antoinette. Aquarelle ayant appartenu à la reine.

« **Vous aimez les fleurs, j'ai un bouquet à vous offrir : c'est le Petit Trianon** »
Louis XVI en remettant le domaine à Marie-Antoinette

« L'idée de jouer la comédie, comme on le faisait alors dans presque toutes les campagnes, suivit celle qu'avait eue la reine de vivre à Trianon, dégagée de toute représentation. Il fut convenu qu'à l'exception de M. le comte d'Artois, aucun jeune homme ne serait admis dans la troupe et que l'on n'aurait pour spectateurs que le roi, Monsieur et les princesses qui ne jouaient pas ; mais que pour animer un peu les acteurs, on ferait occuper les premières loges par les lectrices, les femmes de la reine, leurs sœurs et leurs filles : cela composait une quarantaine de personnes. »

Le Hameau

À partir du printemps 1779, la reine ne vient plus en visite, mais en séjour à Trianon. Dans sa jolie maison, Marie-Antoinette joue à la châtelaine. Dans les décors de carton-pâte en trompe l'œil de son petit théâtre – inauguré le 1er juin 1780 – elle interprète les bergères et les ingénues de village. Qu'il serait amusant de pousser plus avant et devenir fermière !

Depuis que le prince de Condé possède son propre hameau à Chantilly, la reine n'a qu'une idée en tête : avoir le sien à Trianon. De 1783 à 1787, Mique crée « un petit chef-d'œuvre de grâce bucolique, avec ses chaumières couvertes de roseaux, sa grange, son poulailler, son colombier, ses deux laiteries, sa salle de bal, sa tour de la Pêcherie, dite de Marlborough, son moulin, sa maison de la reine, reliée à la maison du billard par une galerie boisée au premier étage ». Des rosiers grimpent le long des murs. De fausses lézardes donnent un caractère « authentique » à ce décor de théâtre.

Groupées autour d'un étang – lui aussi artificiel ! – les maisonnettes servent de logement aux Valy, « couple de paysans logé à la ferme », et à leurs aides : « un jardinier, un bouvier, un vacher, un valet, des garçons jardiniers, un taupier, un ratier, un fureteur, un faucheur et une fille de service ». Un

« Par ordre de la reine… » À Trianon, les ordres ne sont pas donnés au nom du roi, comme partout ailleurs dans le royaume, mais de la reine. Cela scandalise la Cour et la ville…

taureau, des vaches, des veaux, des moutons, des chèvres et un bouc constituent le cheptel de cet idéal village. Coqs, poules, pigeons et lapins s'égaient dans la basse-cour. Dans le moulin, on moud le grain du domaine. Dans la laiterie aux murs et aux tables de marbre blanc, on transforme en beurre et en fromage le lait des vaches qui paissent dans

Le Hameau de la reine, à Versailles.

les prés voisins. De blonds épis de blés s'élèvent dans les champs dépendant du domaine.

Une fable malveillante a dépeint la reine jouant à la bergère, vêtue d'une tenue pastorale, enrubannant les agneaux, la houlette à la main. Marie-Antoinette ne s'est jamais donné ce ridicule. En revanche, elle surveille avec attention les travaux de la ferme et des champs. Parfois avec naïveté ! Valy lui ayant demandé de changer le bouc, incapable de faire des petits aux chèvres, Marie-Antoinette lui répond le plus sérieusement du monde « qu'elle le voulait bien mais surtout que le nouveau ne fût pas méchant et qu'il fût tout blanc ».

Quelques autres lieux : Fontainebleau et Rambouillet

« Les voyages de Fontainebleau se faisaient à la fin de l'année, pour pouvoir profiter des plaisirs que la chasse offrait en si grande abondance dans cette vaste forêt [...]. Les grands voyages de la Cour étaient ceux de Compiègne et de Fontainebleau, parce qu'alors, presque toute la Maison du roi le suivait, tandis qu'à Marly, Choisy et Rambouillet, il n'y avait qu'un petit nombre de personnes. » (Comte d'Hézecques)

Le boudoir de Marie-Antoinette au château de Fontainebleau (décor de 1786).

Marie-Antoinette exècre la chasse. Aussi, vit-elle « comme une pénitence le fait d'émigrer chaque automne au château de Fontainebleau ». « La reine, raconte d'Hézecques, venait souvent par eau. Elle s'embarquait à Choisy et remontait la Seine jusqu'à Melun dans un yacht magnifique, qui présentait, pour elle et sa suite, les commodités d'une grande maison : salons, cuisine et une infinité d'arbres en caisse qui y formaient une espèce de parterre. »

Au château, l'appartement de la reine donne sur les « jardins de Diane ». Une chambre de parade, où Marie-Antoinette ne dort jamais, et plusieurs salons en enfilade, dont un de jeu, sont complétés, comme à Versailles, par des pièces plus intimes. Mique crée le boudoir en 1777. Marie-Antoinette le fait redécorer en 1786 sur le thème de la perle. Riesener exécute le bureau à cylindre et la table à ouvrage, véritables chefs-d'œuvre d'acier, de bronze et de nacre ; Jacob réalise les sièges. Louis XVI aurait lui-même forgé certaines poignées de portes et clenches de fenêtres.

Acheté par le roi au duc de Penthièvre en 1783, Rambouillet est également dévolu aux plaisirs de la chasse. Marie-Antoinette s'y ennuie tellement, qu'elle a surnommé le château « la Crapaudière ». Afin de la distraire et de lui rappeler son cher « Hameau », Louis XVI dote le domaine d'une ferme expérimentale « riche de trois cent trente-cinq mérinos ». Mais cela ne suffit pas à

À Fontainebleau « les amusements et les occupations de la reine ont eu assez constamment les mêmes objets, les mêmes heures de la journée, et en total une grande uniformité » Mercy

rendre le sourire à la reine. Aussi, dans le plus grand secret, le roi fait-il ériger une « laiterie ». Au mois de juin 1787, il remet à son épouse les clés de ce véritable « Temple du lait ». Émerveillée, Marie-Antoinette joue à la crémière avec la délicate porcelaine de Sèvres spécialement réalisée pour les lieux. Avec gourmandise, elle boit de grandes rasades de lait dans le célèbre « bol sein ». La légende prétend qu'il aurait été moulé sur le sien !

7 « L'Autrichienne »
(1789-1793)

1789. Le trône de France vacille.
Marie-Antoinette, confrontée à la vindicte
populaire, fait face, soutient et conseille
son époux, sa famille. Dans les heures
sombres de son histoire, jamais la reine
n'a fait preuve d'autant de majesté.
Jusqu' à l'échafaud.

Le temps des adieux

Jusqu'en 1787, Louis XVI a tenu la reine à l'écart des affaires du royaume. Tel n'est plus le cas. L'influence de Marie-Antoinette est désormais bien réelle. « Sans culture politique, ignorant tout des réalités du royaume, elle réagit par instinct, constate Évelyne Lever. Elle refuse avec horreur tout ce qui pourrait amoindrir le pouvoir royal qu'elle considère comme immuable et naturellement absolu. »

L e ressentiment contre la reine s'est mué en haine. Lors de la cérémonie d'ouverture des États généraux, le 4 mai 1789, les insultes fusent. Marie-Antoinette prend sur elle, tente de ne rien laisser percevoir. Alors que la Monarchie entre en agonie, un autre drame se joue : le Dauphin se meurt. Il s'éteint le 4 juin. Là encore, il ne faut rien montrer. Au nom d'intérêts supérieurs, il faut pleurer l'être cher en silence. Continuer à jouer son rôle. Le 14 juillet, la Bastille est prise. « La tête de la reine, celles du comte d'Artois, des Polignac et de biens

4 août 1789. À Versailles, place Dauphine, procession d'ouverture des États généraux sortant de Notre-Dame pour se rendre à la cathédrale Saint-Louis.

« Adieu, la plus tendre des amies, Ce mot est affreux, mais il le faut. Voilà l'ordre pour les chevaux ; je n'ai que la force de vous embrasser » billet de Marie-Antoinette à Madame de Polignac, le 16 juillet 1789

d'autres encore » sont mises à prix. Dans l'armée, des régiments entiers se mutinent.

Dans la nuit du 15 au 16, Louis XVI réunit le Conseil. Ses deux frères et la reine y assistent. Marie-Antoinette et Artois préconisent de se réfugier à Metz. Monsieur, qui n'ignore pas que, si le roi était destitué, c'est à lui et non à la reine que la Régence serait confiée, s'oppose au départ. Louis XVI hésite. En février 1792, prisonnier des Tuileries, il confiera à Fersen : « Je sais que j'ai manqué le moment, c'était le 14 juillet ; il fallait alors s'en aller, et je le voulais, mais comment faire quand Monsieur lui-même me priait de ne pas sortir et que le maréchal de Broglie qui commandait, me répondait : "Oui, nous pouvons aller à Metz, mais que ferons-nous quand nous y serons ?". J'ai manqué le moment et depuis je ne l'ai pas retrouvé. »

Le 16 juillet, à la tombée de la nuit, un long cortège s'ébranle. Le clan Polignac au grand complet prend la route de l'Est. L'abbé de Vermond les suit de près. Escorté de quelques gentilshommes, le comte d'Artois gagne les Pays-Bas autrichiens. Par un autre itinéraire, ses deux fils l'y rejoignent. Le 17, les Condé fuient à leur tour. Le prince de Conti est parti dès le 12 ! L'Émigration commence... La Cour se vide. Marie-Antoinette se retrouve seule.

Les journées d'octobre

Le 5 octobre 1789, Paris marche sur Versailles. Menée par des hommes déguisés en femme, une horde de furies « armées de fusils, de piques, de crocs de fer, de couteaux emmanchés sur des bâtons, précédées [...] de trois canons et d'un train de barils de poudre et de boulets » vient réclamer du pain. Lorsque Louis XVI réalise le danger, il n'est plus temps de fuir. À neuf heures, il reçoit une délégation.

Tard dans la nuit, le roi confie la défense de Versailles à Lafayette. Rassurée, la reine va se coucher. Louis XVI fait de même. Tout semblant calme, le « général Morphée » va dormir en ville, « sans rien prévoir pour protéger le château ».

« Mais que leur ai-je donc fait ? »

Marie-Antoinette en s'enfuyant

Le 6 octobre, à six heures du matin, le château est pris d'assaut. Les gardes du corps sont massacrés. Les assassins cherchent la reine. Réveillée par ses femmes, Marie-Antoinette fuit en chemise par les cabinets intérieurs. Elle traverse le corridor en courant. Arrivée devant l'Œil-de-bœuf, elle trouve porte close. Elle supplie : « Mes amis, mes chers amis, sauvez-moi ! »

Un garçon l'entend et lui ouvre. Elle gagne la chambre du roi. Louis XVI n'est pas là. Par le couloir secret, il s'est rendu chez la reine. Apprenant qu'elle est en sûreté, il fait demi-tour. Mme de Tourzel arrive avec le Dauphin. Marie-Antoinette est allée chercher Madame Royale. Les portes de l'Œil-de-bœuf volent en éclats sous les coups de hache. Le roi et les siens se signent et s'apprêtent à mourir. Soudain le vacarme cesse : demeurés fidèles, les gardes-françaises chargent et dégagent le château.

À dix heures, Louis XVI paraît au balcon et annonce qu'il se rendra à Paris. D'Hézecques raconte : « Quand le roi se fut retiré, des cris tumultueux demandèrent la reine. Elle parut entre ses deux enfants [...]. Aussitôt, mille voix s'élèvent et font retentir ce cri sinistre : "Point d'enfants !". La reine les dépose sur le sein de leur père et, malgré les prières des courtisans, malgré les larmes de sa famille, elle s'élance sur le balcon. »

Des cris fusent : « Tire ! Tire ! » Marie-Antoinette s'incline et salue. Une

6 octobre 1789. Louis XVI se rend à Paris avec sa famille.

immense acclamation résonne alors : « Vive la reine ! »

Rentrée dans la chambre, la reine fond en larmes et serre ses enfants contre elle. Dehors, la clameur exige : « À Paris ! À Paris ! »

À une heure vingt-cinq, la famille royale quitte Versailles. Pour toujours.

Aux Tuileries, le roi et la reine vivent « dans une étroite intimité, sans jamais quitter leurs enfants ». Profondément abattu, Louis XVI « refuse obstinément de sortir ». « Lorsqu'on l'entretient d'affaires, constate un ministre, il semble qu'on lui parle de choses relatives à l'empereur de Chine ».

Avec courage, Marie-Antoinette fait face. Elle incite Louis XVI à réagir. Elle gagne à sa cause Mirabeau, « partisan d'une monarchie constitutionnelle laissant une part importante du pouvoir exécutif au roi ». Elle écrit en secret à l'Empereur et au roi d'Espagne afin qu'ils se concertent pour ramener le calme en France. Tout cela pèsera lourd lors de son procès, mais la reine n'y voit aucune trahison : elle ne cherche qu'à restaurer l'autorité de l'État.

« Le roi n'a qu'un homme auprès de lui : sa femme ! »

Mirabeau, juin 1790

L'une des consolations de Marie-Antoinette est le retour de Fersen, fin 1789. Rapidement, il est devenu « le conseiller le plus écouté » du couple royal. À la mort de Mirabeau – le 2 avril 1791 – Louis XVI donne carte blanche à son épouse pour élaborer un plan d'évasion. Marie-Antoinette et Fersen montent l'opération dans le plus grand secret.

Dans la nuit du 20 juin 1791, la famille royale, accompagnée de quelques proches, fuit Paris. À Bondy, Fersen quitte le convoi. « Ivres de liberté, le roi et la reine se croient sauvés. » Hélas, ils sont reconnus dès Châlons-sur-Marne. Le 21, à onze heures du soir, à Varennes-en-Argonne, une foule menaçante oblige la berline à s'arrêter. Persuadé que les troupes du marquis de Bouillé vont venir à son secours, Louis XVI refuse de prendre la fuite. Pendant ce temps, deux émissaires de l'Assemblé nationale, porteurs d'un décret d'arrestation, chevauchent à bride abattue à la poursuite des fugitifs.

Le retour à Paris est cauchemardesque. Tout au long du chemin, ce ne sont que cris, injures, menaces de mort. Madame Campan raconte : « La première fois que je revis Sa Majesté après la funeste catastrophe du voyage de Varennes, je la

23 juin 1791. Retour de Varennes : le roi et sa famille arrivent à Paris.

trouvai sortant de son lit ; ses traits n'étaient pas extrêmement altérés, mais après les premiers mots de bonté qu'elle m'adressa, elle ôta son bonnet et me dit de voir l'effet que la douleur avait produit sur ses cheveux. En une seule nuit, ils étaient devenus blanc comme ceux d'une femme de soixante-dix ans. »

La tour du Temple

Le 10 août 1792, la foule insurgée prend les Tuileries d'assaut. Fuyant l'émeute, la famille royale gagne l'Assemblée nationale qui lui a promis sa protection. Le piège se referme : le jour même, le roi est « suspendu de ses fonctions ». Le 13 août, la famille royale est enfermée dans le donjon du Temple. La dictature de la Commune de Paris commence.

Tour du Temple où fut enfermée la famille royale pendant la Révolution.

« La République fut proclamée le 22 septembre : on nous l'apprit avec joie »

Madame Royale

Madame Royale raconte : « Mon père n'était plus qualifié du titre de roi ; on n'avait plus aucun respect pour lui ; on ne l'appelait plus ni *sire* ni *sa majesté*, mais *monsieur*, ou *Louis*. Les municipaux étaient toujours assis dans sa chambre, et ils avaient leurs chapeaux sur la tête [...]. En octobre, on fit loger mon père dans un appartement au-dessous de celui de ma mère ; mon frère coucha dans sa chambre ; Cléry [valet de chambre du roi] couchait aussi dans l'appartement avec un municipal. Les fenêtres étaient fermées avec des barreaux de fer et des abat-jour ; les cheminées fumaient beaucoup.

« Voici comment alors se passaient les journées de mes parents : mon père se levait à sept heures, et priait Dieu jusqu'a huit ; ensuite il s'habillait ainsi que mon frère, jusqu'à neuf, qu'il venait déjeuner chez ma mère. Après déjeuner, mon père donnait à mon frère quelques leçons jusqu'à onze heures ; il jouait jusqu'à midi, heure à laquelle nous allions nous promener tous ensemble, tel temps qu'il fît, parce que la garde, qui relevait à cette heure-là, voulait nous voir pour s'assurer de notre présence : la promenade durait jusqu'à deux heures, que nous dînions.

« Après dîner, mon père et ma mère jouaient au trictrac ou au piquet ; ou, pour mieux dire, faisaient semblant de jouer, afin de pouvoir se dire quelques mots. À quatre heures, ma mère remontait avec nous et emmenait mon frère, parce qu'alors le roi dormait ordinairement. À six heures, mon frère descendait ; mon père le faisait apprendre et jouer jusqu'à l'heure du souper. À neuf heures, après ce repas, ma mère le déshabillait promptement, et le mettait au lit. Nous remontions ensuite, et le roi ne se couchait qu'à onze heures. Ma mère travaillait beaucoup à la tapisserie, et me faisait étudier et souvent lire haut. Ma tante priait Dieu, et disait toujours l'office ; elle lisait beaucoup de livres de piété ; souvent la reine la priait de les lire haut. »

Premier repas de Louis XVI et de sa famille au Temple, 1793.

La mort du roi

Le 11 décembre 1792, on vient chercher le roi pour le conduire devant la Convention. Durant six semaines, Marie-Antoinette reste sans nouvelles de son époux. Avec l'énergie du désespoir, elle veut encore y croire. Maintenant que la France est une République, la famille royale va être bannie. Mais c'est la mort sans condition ni sursis que votent les députés.

Madame Royale raconte : « Nous apprîmes la sentence rendue contre mon père le dimanche 20 [janvier], par des colporteurs, qui vinrent la crier sous nos fenêtres. À sept heures du soir, un décret de la Convention nous permit de descendre chez lui ; nous y courûmes, et nous le trouvâmes changé. Il pleura de douleur sur nous, et non de la crainte de la mort ; il raconta son procès à ma mère, en excusant les scélérats qui le faisaient mourir (...).

*21 janvier 1793.
Exécution de
Louis XVI.*

« Il donna ensuite des instructions religieuses à mon frère, lui recommanda surtout de pardonner à ceux qui le faisaient mourir, et lui donna sa bénédiction, ainsi qu'à moi. Ma mère désirait ardemment que nous passions la nuit auprès de mon père ; il le refusa, en lui faisant sentir qu'il avait besoin de tranquillité. Elle lui demanda au moins de venir le lendemain matin ; il le lui accorda : mais quand nous fûmes partis, il dit aux gardes de ne pas nous laisser redescendre, parce que notre présence lui faisait trop de peine. Il resta ensuite avec son confesseur, se coucha à minuit, et dormit jusqu'à cinq heures, qu'il fut réveillé par le tambour.

« Le matin de ce terrible jour [21 janvier 1793], nous nous levâmes à six heures. La veille au soir, ma mère avait eu à peine la force de déshabiller et de coucher mon frère ; elle s'était jetée tout habillée sur son lit, où nous l'entendîmes toute la nuit trembler de froid et de douleur. À six heures et un quart on ouvrit notre porte, et on vint chercher un livre de prières pour la messe de mon père ; nous crûmes que nous allions descendre et eûmes toujours cette espérance, jusqu'à ce que les cris de joie de la populace effrénée vinrent nous apprendre que le crime était consommé. »

Il est dix heures vingt-deux. Marie-Antoinette s'effondre sur son lit, le corps secoué de sanglots. Soudain, elle se relève et traverse la pièce. Devant son fils, elle plonge dans une impeccable révérence : voici Louis XVII, le nouveau roi.

« Je meurs innocent des crimes qu'on m'impute. Je pardonne aux auteurs de ma mort et je prie Dieu que le sang que vous allez répandre ne retombe jamais sur la France »
derniers mots de Louis XVI sur l'échafaud

Mater Dolorosa

Durant les mois qui suivent l'exécution du roi, les conditions d'incarcé-ration de la famille royale semblent s'assouplir : « Nous eûmes un peu plus de liberté ; les gardes croyaient qu'on allait nous renvoyer, note Madame Royale. Mais rien n'était capable de calmer les angoisses de ma mère ; on ne pouvait faire entrer aucune espérance dans son cœur : il lui était indifférent de vivre ou de mourir. »

La reine est autorisée à porter le deuil. Cloîtrée chez elle, Marie-Antoinette a renoncé aux prome-nades, car, pour descendre au jardin, il faut passer devant la porte de la chambre du roi, ce qui lui fait trop de peine. « Durant de longues heures,

> « Le jeune Louis, fils de Capet, sera séparé de sa mère, et placé dans un appartement à part, le mieux défendu de tout le local du Temple » décret du Comité de Salut public, 1er juillet 1793

assise dans son fauteuil de damas vert et blanc, elle reste à tricoter près de la fenêtre obstruée par les abat-jour. » S'alimentant de moins en moins, elle « tombe dans un état de maigreur extrême ». Craignant que « le défaut d'air » nuise à la santé des enfants, elle demande, à la fin de février, l'autorisation de « monter sur la tour ». Elle lui est accordée. Ce n'est hélas qu'une accalmie.

Un soir, à dix heures, un groupe d'hommes se présente. Madame Royale raconte : « Le 3 juillet [1793], on nous lut un décret de la Convention, qui portait que mon frère serait séparé de nous, et logé dans l'appartement le plus sûr de la Tour [celui du deuxième étage]. À peine l'eut-il entendu, qu'il se jeta dans les bras de ma mère en poussant les hauts cris, en demandant à n'être pas séparé d'elle. De son côté, ma mère fut atterrée par ce cruel ordre ; elle ne voulut pas livrer mon frère, et défendit contre les municipaux le lit où elle l'avait placé.

« Ceux-ci, voulant absolument l'avoir, menaçaient d'employer la violence et de faire monter la garde. Ma mère leur dit qu'ils n'avaient donc qu'à la tuer, avant de lui arracher son enfant : et une heure passa ainsi en résistance de sa part,

3 juillet 1793.
Louis XVII est séparé
de sa mère.
Jean-Jacques Hauer
(1751-1829), 1795.

en injures, en menaces de la part des municipaux, en pleurs et en défenses de nous tous. Enfin, ils la menacèrent si positivement de la tuer ainsi que moi, qu'il fallut qu'elle cédât encore, par amour pour nous. »

Deux jours durant, Marie-Antoinette entend son fils pleurer. Jamais elle ne le reverra. Dans la nuit du 1er au 2 août, elle est transférée à la Conciergerie. L'antichambre de la mort...

16 octobre 1793 : Marie-Antoinette quitte la Conciergerie. Elle s'apprête à monter dans la charrette qui la conduira à l'échafaud où elle sera guillotinée.

Le procès et la mort

À la Conciergerie, Marie-Antoinette croupit dans un cachot suintant de crasse et d'humidité. Par peur des représailles, nul n'ose entreprendre quoi que ce soit pour adoucir son sort. Avec l'automne, les nuits sont plus fraîches. La prisonnière demande une couverture supplémentaire. Fouquier-Tinville éructe et menace le concierge : « Qu'oses-tu demander là ? Tu mériterais d'être envoyé à la guillotine ! »

Le 5 octobre, la reine est décrétée d'accusation. Le 12, elle est interrogée secrètement par Hermann, président du tribunal révolutionnaire, en présence de Fouquier-Tinville. Marie-Antoinette est accusée « d'intelligence avec l'ennemi et de conspiration contre la sûreté de l'État ». Avec aplomb, elle nie tout en bloc. Deux avocats lui sont commis d'office. Le 14, à huit heures du matin, la reine comparaît devant ses juges. Les débats se poursuivent durant quinze heures. Le 15, la

« Je demande pardon à tous ceux que je connais, et à vous, ma sœur, en particulier, de toutes les peines que, sans le vouloir, j'aurai pu causer. Je pardonne à tous mes ennemis le mal qu'ils m'ont fait »

lettre à Madame Élisabeth, ce 16 octobre, à 4h du matin

séance débute tout aussi tôt. Elle se prolonge jusqu'au lendemain. Le 16, à quatre heures du matin, la sentence tombe : la mort. L'exécution doit avoir lieu le jour-même.

Ramenée à la Conciergerie, Marie-Antoinette écrit une bouleversante lettre d'adieux à Madame Élisabeth, à qui elle confie ses enfants. La princesse ne la recevra jamais. Après de multiples péripéties, la missive sera remise à Madame Royale... en 1816. La reine passe les quelques heures qu'il lui reste à prier. Vers huit heures, on vient la chercher. À nouveau, on lui lit la sentence. Ce 16 octobre 1793, la souveraine est conduite au supplice dans une simple charrette, les mains liées derrière le dos. Pour empêcher toute tentative d'enlèvement, trente mille hommes en armes ont été placés le long du parcours. À onze heures un quart, la voiture s'ébranle. Midi sonne lorsque le cortège arrive place de la Révolution (actuelle place de la Concorde). Dès l'aube, une foule compacte et vociférante a envahi les lieux.

La charrette s'arrête. Rapidement, Marie-Antoinette en descend, sans accepter aucune aide. Elle gravit la raide échelle avec précipitation, « à la bravade », et perd l'un de ses souliers. Arrivée sur la plate-forme, elle marche sur le pied du bourreau : « Monsieur, je vous demande excuses, je ne l'ai pas fait exprès ».

Ce sont ses derniers mots. Quatre minutes plus tard, le couperet tombe. Il est midi un quart.

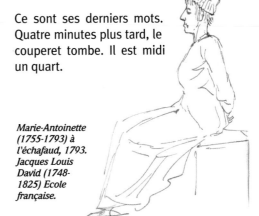

Marie-Antoinette (1755-1793) à l'échafaud, 1793. Jacques Louis David (1748-1825) Ecole française.

Annexes

Généalogie

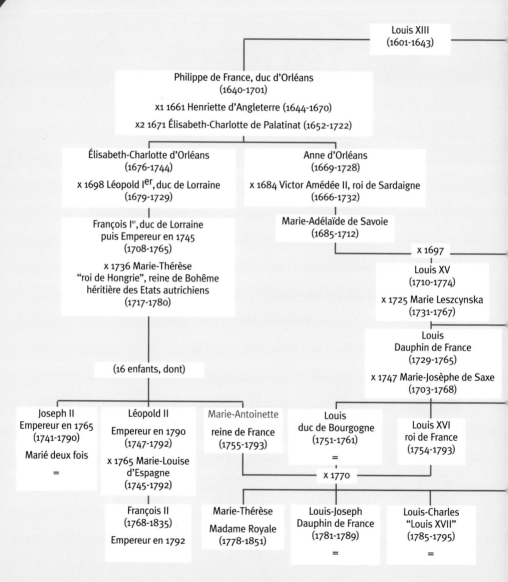

Louis XIII
(1601-1643)

Philippe de France, duc d'Orléans
(1640-1701)

x1 1661 Henriette d'Angleterre (1644-1670)

x2 1671 Élisabeth-Charlotte de Palatinat (1652-1722)

Élisabeth-Charlotte d'Orléans
(1676-1744)

x 1698 Léopold Ier, duc de Lorraine
(1679-1729)

Anne d'Orléans
(1669-1728)

x 1684 Victor Amédée II, roi de Sardaigne
(1666-1732)

François Iᵉʳ, duc de Lorraine
puis Empereur en 1745
(1708-1765)

x 1736 Marie-Thérèse
"roi de Hongrie", reine de Bohême
héritière des Etats autrichiens
(1717-1780)

Marie-Adélaïde de Savoie
(1685-1712)

x 1697

Louis XV
(1710-1774)

x 1725 Marie Leszcynska
(1731-1767)

Louis
Dauphin de France
(1729-1765)

x 1747 Marie-Josèphe de Saxe
(1703-1768)

(16 enfants, dont)

Joseph II
Empereur en 1765
(1741-1790)

Marié deux fois

=

Léopold II
Empereur en 1790
(1747-1792)

x 1765 Marie-Louise
d'Espagne
(1745-1792)

Marie-Antoinette

reine de France
(1755-1793)

Louis
duc de Bourgogne
(1751-1761)

=

Louis XVI
roi de France
(1754-1793)

x 1770

François II
(1768-1835)

Empereur en 1792

Marie-Thérèse

Madame Royale
(1778-1851)

=

Louis-Joseph
Dauphin de France
(1781-1789)

=

Louis-Charles
"Louis XVII"
(1785-1795)

=

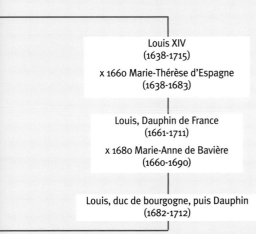

Louis XIV
(1638-1715)

x 1660 Marie-Thérèse d'Espagne
(1638-1683)

Louis, Dauphin de France
(1661-1711)

x 1680 Marie-Anne de Bavière
(1660-1690)

Louis, duc de bourgogne, puis Dauphin
(1682-1712)

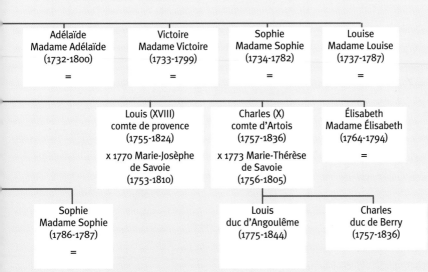

Adélaïde
Madame Adélaïde
(1732-1800)

=

Victoire
Madame Victoire
(1733-1799)

=

Sophie
Madame Sophie
(1734-1782)

=

Louise
Madame Louise
(1737-1787)

=

Louis (XVIII)
comte de provence
(1755-1824)

x 1770 Marie-Josèphe
de Savoie
(1753-1810)

Charles (X)
comte d'Artois
(1757-1836)

x 1773 Marie-Thérèse
de Savoie
(1756-1805)

Élisabeth
Madame Élisabeth
(1764-1794)

=

Sophie
Madame Sophie
(1786-1787)

=

Louis
duc d'Angoulême
(1775-1844)

Charles
duc de Berry
(1757-1836)

Quelques dates

2 novembre 1755

Naissance au palais de la Hofburg, à Vienne.

3 novembre 1755

Baptême au palais de la Hofburg, à Vienne.

1764

Premiers pourparlers en vue d'un mariage entre l'une des archiduchesses et le duc de Berry (futur Louis XVI), né le 23 août 1754, à Versailles.

18 août 1765

Mort de l'empereur François Ier. Son fils lui succède sous le nom de Joseph II.

24 mai 1766

Lettre de l'ambassadeur d'Autriche à Marie-Thérèse : *Le Roi s' est expliqué de façon que Votre Majesté peut regarder le projet comme décidé et assuré.* L'archiduchesse retenue est Madame Antoine.

13 juin 1769

Marie-Thérèse reçoit la demande officielle de Louis XV (en date du 7 juin).

7 février 1770

Madame Antoine n'est plus une enfant.

14 avril 1770

Contrat de mariage arrêté dans la forme diplomatique, à Vienne.

16 avril 1770

Cérémonie de la demande officielle, à Vienne.

17 avril 1770

Madame Antoine renonce à ses droits dynastiques sur les états autrichiens.

19 avril 1770

Mariage par procuration dans l'église des Augustins, à Vienne.

7 mai 1770

La Dauphine est remise à la France, sur une île sur le Rhin, près de Strasbourg.

14 mai 1770

Marie-Antoinette rencontre son futur époux et la famille royale en forêt de Compiègne.

16 mai 1770

Mariage en personne dans la chapelle du château de Versailles.

30 mai 1770

La Dauphine se rend pour la première fois à Paris. À l'issue du feu d'artifice, trois cent mille personnes se portent soudainement rue Royale. La foule est prise au piège : on dénombre cent trente-deux victimes mortes piétinées ou étouffées. Elles sont inhumées au cimetière de la Madeleine, à l'endroit même où Marie-Antoinette sera enterrée vingt-trois ans plus tard.

14 mai 1771

Mariage du comte de Provence avec Marie-Josèphe de Savoie.

8 juin 1773

« Joyeuse entrée » du Dauphin et de la Dauphine à Paris.

Été 1773

Gabriel réaménage la bibliothèque de la Dauphine (cabinets intérieurs, Versailles).

16 novembre 1773

Mariage du comte d'Artois avec Marie-Thérèse de Savoie.

19 novembre 1773

À Versailles, Fersen est présenté à la famille royale. Dont à la Dauphine : Marie-Antoinette.

30 janvier 1774

À Paris, Marie-Antoinette reconnaît Fersen au bal de l'Opéra.

10 mai 1774

Mort de Louis XV. Avènement de Louis XVI.

15 août 1774

Fête de la reine. Louis XVI lui offre le Petit Trianon.

1775-1782

Mme de Guéménée gouvernante des Enfants de France (de Madame Élisabeth, puis des enfants de Louis XVI et Marie-Antoinette).

Février 1775

Visite (incognito) de l'archiduc Maximilien (frère de Marie-Antoinette).

11 juin 1775

Sacre de Louis XVI à Reims.

Été 1775

Début de la faveur de Mme de Polignac.

16 septembre 1775

Mme de Lamballe est nommée chef du Conseil et surintendante de la Maison de la reine.

4 juillet 1776

Déclaration d'indépendance des États-Unis d'Amérique.

Été 1776

Création du billard de la reine (cabinets intérieurs, Versailles).

1777

Richard Mique crée le boudoir de la reine, à Fontainebleau. Pierre-Marie Rousseau le décorera sur le thème de la perle en 1786.

Été 1777

Remise à neuf du cabinet de toilette et de la « garde-robe à chaise » de la reine (Versailles).

1777-1780

Richard Mique crée les jardins de Trianon (1777-1779). Il les agrémente de « folies » : Belvédère (1777) ; Temple de l'amour (1778) ; etc. Il bâtit également un théâtre pour la reine (1778-1780).

Avril-mai 1777

Visite (incognito) de l'empereur Joseph II (frère de Marie-Antoinette).

18 août 1777

Consommation du mariage.

1778

Madame Vigée Le Brun peint la reine pour la première fois : *La reine Marie-Antoinette en robe à panier* (destiné à l'impératrice Marie-Thérèse, le tableau est envoyé à Vienne en février 1779 ; plusieurs copies sont exécutées à la demande de la reine).

25 août 1778

De retour en France après quatre ans d'absence, Fersen est à nouveau présenté à la famille royale. Dont à la reine : Marie-Antoinette. Elle ne l'a pas oublié et s'exclame : « Ah ! C'est une ancienne connaissance ! » Début de leur amitié.

19 décembre 1778

Naissance de Marie-Thérèse (Madame Royale), à Versailles.

Mars 1779

Rougeole de Marie-Antoinette. Elle se retire durant trois semaines à Trianon. Premiers libelles contre la reine. Dès lors, elle se rend de moins en moins souvent à Paris. Les « visites » à Trianon cèdent la place aux « séjours ».

1er juin 1780

Inauguration du théâtre de la reine (Trianon).

1779/80-1783

Richard Mique réaménage les cabinets intérieurs de la reine (Versailles). Réaménagement de la bibliothèque de la reine (tissu vert) et création du « supplément de bibliothèque » (tissu bleu) (1779-1781). Création du « cabinet de la méridienne » (1781). Création du « grand cabinet intérieur » ou « cabinet doré » (1783).

29 novembre 1780

Décès de l'impératrice Marie-Thérèse (mère de Marie-Antoinette).

19 mai 1781

Necker remet sa démission au roi.

Juillet-août 1781

Visite (incognito) de l'empereur Joseph II (frère de Marie-Antoinette).

Salon de 1781 (à partir du 25 août)

Boizot présente un buste de Marie-Antoinette (commande de Vergennes pour le département des Affaires étrangères).

22 octobre 1781

Naissance du dauphin Louis-Joseph, à Versailles.

21-22 janvier 1782

Fêtes, à Paris, pour célébrer la naissance du Dauphin. La reine est acclamée. La Fayette, qui vient de rentrer d'Amérique, l'est plus encore.

3 mars 1782

Décès de Madame Sophie. Marie-Antoinette récupère son appartement du rez-de-chaussée. Elle y installe Madame Royale de l'automne 1782 à octobre 1783. Elle en a ensuite l'usage exclusif : « Petit appartement de la reine ». Mique y entreprend de nombreux travaux d'aménagement jusqu'en 1789 (dont salle de bain, 1784).

Mai 1782

Visite (incognito) du grand-duc héritier Paul de Russie et de son épouse.

Été 1782

Faillite du prince de Guéménée. Son épouse est contrainte d'abandonner sa charge de gouvernante des Enfants de France. Mme de Polignac lui succède.

1783-1787

Richard Mique crée le Hameau de la reine (Trianon).

Juin 1783

Fersen rentre d'Amérique, où il s'est battu durant trois ans, et il se fixe à Versailles.
Ses relations avec Marie-Antoinette évoluent en amitié amoureuse.

Salon de 1783 (à partir du 25 août)

Mme Vigée Le Brun présente *Marie-Antoinette « en gaulle »*. L'œuvre fait scandale et doit être retirée. Elle est remplacée par un portrait de la reine dans la même attitude, mais cette fois vêtue d'une robe bleue : *Marie-Antoinette à la rose* (il en existe plusieurs versions).
Félix Lecomte présente son célèbre buste de Marie-Antoinette (destiné à l'abbé de Vermond). Il connaît un grand succès car il est jugé d'une ressemblance parfaite.

3 septembre 1783

Traité de Versailles entre la France et l'Angleterre.
Cette dernière reconnaît l'indépendance des treize colonies américaines.

La paix est publiée le 3 novembre.

27 avril 1784

Première représentation à la Comédie française du *Mariage de Figaro* de Beaumarchais.

11 aout 1784

Abusé par Mme de La Motte, le cardinal de Rohan, grand aumônier de France, rencontre nuitamment dans un bosquet des jardins de Versailles une femme se faisant passer pour Marie-Antoinette. « L'affaire du collier » débute.

1785

Réfection complète du « grand cabinet de la reine » ou « salon des nobles » (Versailles).

29 janvier 1785

Le cardinal de Rohan achète le fameux collier (d'une valeur d'un million six cent mille livres) et le remet à Mme de La Motte. Celle-ci s'empresse de revendre les diamants en Angleterre.

27 mars 1785

Naissance du dauphin Louis-Charles, à Versailles.

15 aout 1785

Arrestation du cardinal de Rohan, à Versailles.

Salon de 1785 (à partir du 25 août)

Mme Vigée Le Brun présente *Madame Royale et le dauphin Louis-Joseph*.
En 1785, elle peint pour le comte de Choiseul-Gouffier, ambassadeur de France à Constantinople, *Marie-Antoinette au livre*.

31 mai 1786

Le parlement de Paris acquitte le cardinal de Rohan et condamne Mme de Valois.
Cette sentence est un terrible désaveu pour la reine.

9 juillet 1786

Naissance de Sophie (Madame Sophie), à Versailles.

26 juillet-28 août 1786

Visite (incognito) de l'archiduchesse Marie-Christine (sœur de Marie-Antoinette), gouvernante des Pays-Bas autrichiens, et de son époux, le prince Albert de Saxe-Teschen.

20 août 1786

Calonne présente au roi son plan de redressement des finances.

Octobre 1786

Le Dauphin emménage au rez-de-chaussée du corps central dans l'appartement (jusque-là occupé par les Provence) mitoyen du petit appartement de la reine

1787

Marie-Antoinette commence à jouer un rôle politique.

22 février au 25 mai 1787

Assemblée des notables.

9 avril 1787

Renvoi de Calonne (exilé le 15).

13 avril 1787

Necker est exilé à vingt lieues de Paris.

Mai 1787

Le 1er mai, soutenu par la reine, l'archevêque de Toulouse, Mgr Loménie de Brienne, est nommé chef du Conseil royal des Finances. Le 21 mai, La Fayette demande la convocation des États généraux. Le 25 mai, Brienne renvoie l'Assemblée des notables. Le peuple gronde : « la reine gouverne ».

Juin 1787

Louis XVI offre à la reine la « laiterie » de Rambouillet.

19 juin 1787

Décès de Sophie (Madame Sophie), à Versailles.

16 juillet 1787

Le parlement de Paris réclame à son tour la convocation des États généraux.

9 août 1787

Brienne restreint les dépenses de la Maison du roi et de la Cour. À Versailles, les bals de la reine sont supprimés. Le roi renonce aux chasses à Fontainebleau. La suppression de nombreux offices, pour la plupart purement honorifiques, mécontente profondément la Cour.

Salon de 1787 (à partir du 25 août)

Mme Vigée Le Brun présente : *Marie-Antoinette entourée de ses enfants.*

29 novembre 1787

Édit dit « de Tolérance » accordant un état civil et la liberté de conscience aux Protestants.

24 août 1788

Brienne donne sa démission. Louis XVI l'accepte le lendemain.

26 août 1788

Rappelé, Necker est nommé directeur général des Finances. Le lendemain, il est déclaré ministre d'État avec entrée au Conseil.

23 septembre 1788

Déclaration royale annonçant la convocation des États généraux en janvier.

6 novembre au 12 décembre 1788

Nouvelle assemblée des notables afin d'organiser les États généraux. Elle préconise la réunion des trois ordres. Le 27 décembre, le Conseil décide de doubler le nombre de représentants du tiers état.

24 janvier 1789

Lettre de convocation des États généraux pour le 27 avril 1789.

Mars 1789

Rédaction des cahiers de doléances et début des élections des députés.

4 mai 1789

Procession d'ouverture des États généraux. La reine est huée.

5 mai 1789

Séance d'ouverture des États généraux.

4 juin 1789

Décès du dauphin Louis-Joseph, à Meudon.

17 juin 1789

Le tiers état se constitue en Assemblée nationale.

20 juin 1789

Serment du jeu de Paume. Les députés du tiers état jurent de ne pas se séparer avant d'avoir donné une constitution à la France.

9 juillet 1789

L'assemblée nationale se déclare assemblée constituante.

11 juillet 1789

Renvoi de Necker.

14 juillet 1789

Prise de la Bastille.

Nuit du 15 au 16 juillet 1789

Réunion du Conseil. Les frères du roi et la reine y assistent. Louis XVI refuse de gagner Metz. Necker est rappelé.

16 juillet 1789

Départ des Polignac, du comte d'Artois et de ses fils, et de la plupart des amis de la reine. Les Condé partent le lendemain. L'Émigration commence.

17 juillet 1789

Après avoir nommé Monsieur lieutenant général du royaume, le roi se rend à Paris. Reçu à l'hôtel de ville par Bailly et Lafayette, il est contraint d'arborer la cocarde tricolore.

20 juillet-6 août 1789

Grande peur. En province les châteaux sont pillés et incendiés.

Nuit du 4 août 1789

Décret abolissant les privilèges féodaux.

Salon de 1789 (à partir du 25 août)

En prévision du Salon de 1789, Mme Vigée Le Brun avait peint *Marie-Antoinette assise, en manteau bleu et jupon blanc*. Du fait de la situation politique, l'œuvre ne peut être présentée. Craignant pour sa vie, Mme Vigée le Brun émigre le 5 octobre. Elle ne rentrera à Paris qu'en 1802. En 1800, elle peindra un portrait posthume de Marie-Antoinette.

26 août 1789

Adoption du texte définitif de la *Déclaration des droits de l'homme et du citoyen*.

11 septembre 1789

L'assemblée accorde au roi un droit de véto suspensif.

1er octobre 1789

À Versailles, banquet des gardes du corps. La famille royale est longtemps acclamée. Après son départ, la cocarde tricolore aurait été foulée aux pieds.

5-6 octobre 1789

Journées d'octobre. Menée par des hommes déguisés en femme, les mégères de la capitale se rendent à Versailles. Le 6, au petit matin, les gardes du corps sont massacrés et le château est envahi. La reine échappe par miracle à la mort. La famille royale est ramenée à Paris. Elle s'installe au palais des Tuileries, dont elle va être désormais prisonnière.

10 octobre 1789

Louis XVI devient roi des Français (décret de l'Assemblée constituante).

Novembre 1789

Le Club breton devient le Club des Jacobins.

2 novembre 1789

Confiscation des biens du clergé.

4 février 1790

Louis XVI se rend à l'Assemblée et proclame son attachement à la Constitution.

13 février 1790

Suppression des ordres monastiques.

20 février 1790

Décès de Joseph II. Son frère lui succède sous le nom de Léopold II.

Mars 1790

Sur les conseils de la reine, Louis XVI charge l'ambassadeur d'Autriche, le comte de Mercy-Argenteau, de prendre secrètement contact avec Mirabeau.

3 juillet 1790

Entrevue secrète de Marie-Antoinette avec Mirabeau. Il lui promet de sauver la Monarchie.

12 juillet 1790

Constitution civile du clergé (ratifiée par Louis XVI le 24 août).

14 juillet 1790

Fête de la Fédération, à Paris.

2 avril 1791

Décès de Mirabeau.

20-25 juin 1791

« Voyage de Varennes ».

14 septembre 1791

Louis XVI prête serment à la Constitution.

13-14 février 1792

Fersen voit la reine pour la dernière fois, aux Tuileries.

1er mars 1792

Décès de Léopold II. Son fils lui succède sous le nom de François II.
Neveu de Marie-Antoinette, François II est le père de l'archi-duchesse Marie-Louise (1791-1847), qui épousera Napoléon Ier en 1810.

20 avril 1792

La France déclare la guerre au « roi de Bohême et de Hongrie ».

20 juin 1792

La foule insurgée envahit les Tuileries.

11 juillet 1792

L'Assemblée proclame la patrie en danger.

3 août 1792

Publication à Paris du *Manifeste* de Brunswick (en date du 25 juillet).

10 août 1792

La foule prend à nouveau les Tuileries d'assaut. Massacre des gardes suisses.
La famille royale se réfugie à l'Assemblée nationale.
Louis XVI est suspendu.

13 août 1792

La famille royale est incarcérée au Temple.

2-7 septembre 1792

« Massacres de Septembre » dans les prisons parisiennes.
3 septembre : assassinat de la princesse de Lamballe.

21 septembre 1792

Louis XVI est destitué. La République est proclamée.

11 décembre 1792

Début du procès de Louis XVI.

25 décembre 1792

Louis XVI rédige son testament.

20 janvier 1793

Louis XVI est condamné à mort « sans condition, ni sursis ».
En début de soirée, il est autorisé à faire ses adieux à sa famille.

21 janvier 1793

Exécution de Louis XVI à 10h20, place de la Révolution (actuelle place de la Concorde).
Le roi était né le 23 août 1754, à Versailles.
Il est inhumé au cimetière de la Madeleine.
Avènement (théorique) de Louis XVII.
Depuis l'étranger, le comte de Provence s'autoproclame Régent.

1er février 1793

La France déclare la guerre à l'Angleterre et à la Hollande.

1er mars 1793

Décret sur les émigrés.

10 mars 1793

Organisation du « Tribunal criminel extraordinaire » (Tribunal révolutionnaire).

3 avril 1793

Création du Comité de salut public.
Première séance du Tribunal révolutionnaire.

3 juillet 1793

Louis XVII est séparé de sa famille (décret du 1er juillet).

13 juillet 1793

Assassinat de Marat.

Nuit du 1er au 2 août 1793

Marie-Antoinette est transférée à la Conciergerie.

5 septembre 1793

La Convention met la Terreur à l'ordre du jour.

5 octobre 1793

Marie-Antoinette est décrétée d'accusation.

12 octobre 1793

Interrogatoire secret de Marie-Antoinette.

14-15 octobre 1793

Procès de Marie-Antoinette.

16 octobre 1793

À quatre heures du matin, la sentence tombe : la mort. L'exécution doit avoir lieu le jour-même.
Exécution de Marie-Antoinette à 12h15, place de la Révolution (actuelle place de la Concorde).
Elle est inhumée au cimetière de la Madeleine.
Elle aurait eu trente-huit ans le 2 novembre 1793.

10 mai 1794

Procès (le matin) et exécution de Madame Élisabeth, à 17h, place de la Révolution (actuelle place de la Concorde). La princesse était née le 3 mai 1754, à Versailles. Elle est inhumée dans une fosse commune du cimetière des Errancis.

27 juillet 1794

Chute de Robespierre. Fin de la Terreur.

8 juin 1795

Décès de Louis XVII, à la prison du Temple.

26 octobre 1795

La Convention se sépare.

27 octobre 1795

Entrée en vigueur de la constitution de l'an III.
Début du Directoire.

18 décembre 1795

Libération de Madame Royale (veille de son dix-septième anniversaire).
Le 26 décembre, elle est remise aux autrichiens, à Bâle, en échange de prisonniers politiques.

Le 21 janvier 1815

Les restes de Louis XVI et de Marie-Antoinette sont transférés à Saint-Denis dans la crypte de l'ancienne nécropole des rois de France.

C'est mon ami

C'est mon ami

Mélodie de Marie-Antoinette

Bibliographie

Les biographes

Simone Bertière, *Marie-Antoinette l'insoumise,* éditions de Fallois, 2002.

Bernadette de Boyson et Xavier Salmon, *Marie-Antoinette à Versailles ; le goût d'une reine,* Somogy, 2005.

André Castelot, *Marie-Antoinette*, Album, Perrin, 1962.

André Castelot, *Marie-Antoinette*, Album, Perrin, 1989.

Philippe Delorme, *Marie-Antoinette, Pygmalion, 1999.*

Évelyne Lever, *Marie-Antoinette, Fayard, 1991.*

Évelyne Lever, *Marie-Antoinette la dernière reine*, Découverte Gallimard, n° 402, 2000.

Évelyne Lever, *Marie-Antoinette : Correspondance* (1770-1793), *Tallandier,* 2005.

Évelyne Lever, *C'était Marie-Antoinette*, Fayard, 2006.

Pierre de Nolhac, *Marie-Antoinette Dauphine*, Louis Conard, 1929.

Pierre de Nolhac, *La reine Marie-Antoinette*, Louis Conard, 1929.

Pierre de Nolhac, *Autour de la Reine*, Tallandier, 1929.

Philippe de Montjouvent, *Marie-Antoinette avant Versailles*, Histoire et Généalogie, n° 4, 2005.

Jean-Christian Petitfils, *Louis XVI*, Perrin, 2005.

Xavier Salmon, *Marie-Antoinette, images d'un destin*, Michel Lafon, 2005.

Les témoins

Baron de Besenval, *Mémoires sur la Cour de France*, Mercure de France, 1987.

Mme de Boigne, *Mémoires de la comtesse de Boigne*, Mercure de France, 1971 (et 1999).

Mme Campan, *Mémoires de Madame Campan, première femme de Chambre de Marie-Antoinette*, Mercure de France, 1988 (et 1999).

Gaston de Lévis, *Souvenirs et portraits*, Mercure de France, 1993.

Comte d'Hézecques, *Souvenirs d'un page à la Cour de Louis XVI*, Tallandier, 1987.

Madame de La Tour du Pin, *Journal d'une femme de cinquante ans, 1778-1815*, Mercure de France, 1979 (et 2002).

M. de Séguret, *Mémoires*, Emmanuel Vitte, 1897.

Comte Alexandre de Tilly, *Mémoires pour servir à l'histoire des mœurs de la fin du XVIIIe siècle*, Mercure de France, 1965 (et 2003).

Élisabeth Vigée Le Brun, *Mémoires d'une portraitiste*, Scala, 1997.

En complément

Florence Austin Montenay, *Saint-Cloud, une vie de château*, Vôgele, 2005.

Marie-France Boyer et François Halard, *Les lieux de la Reine*, Thames & Hudson, 1995.

Thierry Deslot, *Le Hameau de la Reine*, Maé, 2005.

Roland Jousselin, *Au couvert du roi*, Éditions Christian, 1998.

Philippe de Montjouvent, *Éphéméride de la Maison de France de 1589 à 1848*, Éditions du Chaney, 1999.

William R. Newton, *L'espace du roi : la Cour de France au château de Versailles (1682-1789)*, Fayard, 2000.

Pour aller plus loin sur Internet

Palais de la Hofburg (Vienne)

http://info.wien.at/article.asp?IDArticle=5019

Site de l'office du tourisme de Vienne (en français).

www.hofburg-wien.at/de/publicdir/

Site du palais de la Hofburg (en anglais, allemand et italien).

www.hofburg.at/show_content.php?sid=34

Site de la présidence fédérale autrichienne (en allemand).

Visite virtuelle des appartements de Marie-Thérèse (Virtueller Rundgang).

Schönbrunn

http://info.wien.at/article.asp?IDArticle=5012

Site de l'office du tourisme de Vienne (en français).

www.schoenbrunn.at/de/publicdir/

Site du château de Schönbrunn (en anglais, allemand et italien).

Visite virtuelle.

Versailles

www.chateauversailles.fr/

Site du château de Versailles.

www.insecula.com/musee/M0037.html

Visite virtuelle des grands appartements.

NB : Marie-Antoinette n'a jamais occupé l'appartement de la Dauphine (il doit son nom à Marie-Josèphe de Saxe, mère de Louis XVI,décédée en 1767). Dès son arrivée à Versailles, elle prit possession de l'appartement de la reine (inoccupé depuis le décès de Marie Leszcinska, en 1768).

www.insecula.com/musee/M0131.html

Visite virtuelle du Petit Trianon.

www.insecula.com/musee/M0132.html

Visite virtuelle des jardins de Trianon et du Hameau de la reine.

Fontainebleau

www.musee-chateau-fontainebleau.fr/

Site du château de Fontainebleau.

Visite virtuelle. Dont : chambre de l'impératrice (ancienne chambre de Marie-Antoinette).

Compiègne

www.musee-chateau-compiegne.fr/

Site du château de Compiègne.

Visite virtuelle du salon des jeux de Marie-Antoinette (appartements historiques : XVIIIe siècle).

À voir : exposition Louis XVI et Marie-Antoinette à Compiègne du 22 septembre 2006 au 8 janvier 2007 (catalogue édité par la RMN).

Rambouillet

www.elysee.fr/elysee/francais/l_elysee_et_les_residences/les_residences_presidentielles/chateau_de_rambouillet/chateau_de_rambouillet.21159.html

Site de la présidence de la République française.

Visite virtuelle du château. Une section est consacrée à la laiterie de la reine.

Les Tuileries et Saint-Cloud

www.louvre.fr

Site du Musée du Louvre.

En tapant « Marie-Antoinette » dans le moteur de recherche, vous accéderez à la liste des œuvres en rapport avec la reine : mobilier, œuvres d'art et objets lui ayant appartenu, représentations et portraits, etc. Le mobilier provient essentiellement des Tuileries et du château de Saint-Cloud.

Pour chaque œuvre : fiche technique, photographie, etc.

Visite virtuelle. Dont : cabinet Louis XVI, salle Lebaudy, cabinet chinois, cabinets Marie-Antoinette, salle Montreuil (aile Sully, 1er étage, salles 58 à 62).

www.insecula.com/salle/theme_40010_M0001.html

Visite virtuelle du département des objets d'art du musée du Louvre.

Dont : salles citées supra.

La tour du Temple

www.v2asp.paris.fr/musees/musee_carnavalet/

Site du musée Carnavalet.

Le mobilier et les objets quotidiens utilisés par la famille royale au Temple y sont conservés.

À lire : La famille royale à Paris (catalogue de l'exposition s'étant tenue au musée du 16 octobre 1993 au 9 janvier 1994 ; éditions Paris-Musées).

www.insecula.com/salle/MS02333.html

Visite virtuelle des salles consacrées à la famille royale au musée Carnavalet.

La Conciergerie

www.monum.fr/m_conciergerie/indexa.dml

Site de la Conciergerie.

www.insecula.com/salle/MS01125.html

Visite virtuelle de la Conciergerie. Dont : cachot de la reine.

La chapelle expiatoire

www.insecula.com/salle/MS02597.html

Visite virtuelle de la chapelle dite « expiatoire » édifiée sous la Restauration à l'emplacement du cimetière de la Madeleine, où Louis XVI et Marie-Antoinette avaient été inhumés en 1793.

Saint-Denis

www.tourisme93.com/index.php?project=basilique

Site du Comité départemental du Tourisme de Seine-Saint-Denis.

Le 21 janvier 1815, les restes de Louis XVI et de Marie-Antoinette ont été transférés dans la crypte de l'ancienne nécropole des rois de France.

Sommaire détaillé

Directeur de collection

Jean-Paul NADDEO

Responsable Editorial

Lorraine AUFFRAY

Assistants d'Edition

Maroussia MANIE
Laure LONDAITZBEHERE

Création graphique et maquette

Sylvain KASLIN
Boris Lambert

Couverture

Sylvain KASLIN

Impression

ERCOM

Timée-Editions

66, rue Escudier – 92100 Boulogne – France
www.timee-editions.com

Dans la même collection

Dans la même collection